EL MISTERIOSO SR. BROWN
(EL ADVERSARIO SECRETO)

COLECCIÓN
AGATHA CHRISTIE

Títulos publicados:

EL MISTERIOSO SR. BROWN

(EL ADVERSARIO SECRETO)

AGATHA CHRISTIE

EDITORIAL
MOLINO

Título original:
THE SECRET ADVERSARY
© 1922 by Dodd Mead & Company Inc.

Traducción:
C. PERAIRE DEL MOLINO

También publicada bajo el título:
EL ADVERSARIO SECRETO

Esta edición puede ser comercializada en
todo el mundo excepto Centro y Sudamérica

© **EDITORIAL MOLINO**
Calabria, 166 - 08015 Barcelona

Depósito legal: B. 35353-1997
ISBN: 84-272-8502-7

Impreso en España   Printed in Spain

LIMPERGRAF, S. L. — Calle del Río, 17 nave 3 — Ripollet (Barcelona)

GUIA DEL LECTOR

*Los principales personajes que intervienen
en esta obra, relacionados en un orden alfabético
convencional:*

ALBERT: listísimo ascensorista de la casa en que vive
miss Rita Vandemeyer.

ANNETTE: sirvienta de una banda de conspiradores.

BERESFORD, Tommy: simpático muchacho, entusiasta de las aventuras y enamorado de Tuppence, alma
de esta novela.

BROWN: personaje misterioso.

CARTER: destacado político, muy interesado en la desaparición de unos papeles de vital importancia internacional.

CONRAD: portero de la banda de conspiradores y verdadero gángster.

COWLEY, Prudence: llamada por sus amigos Tuppence, muchacha intrépida, compañera de aventuras de
Tommy Beresford.

DANVERS: un norteamericano portador de valiosos

documentos, desaparecido cuando el Lusitania fue
torpedeado.

FINN, Jane: joven raptada. Nudo de la trama que
forma esta novela.

HERSHEIMMER, Julius: joven norteamericano, multimillonario y primo de Jane Finn.

KRAMENIN: revolucionario ruso, afiliado a la citada
banda de conspiradores.

PEEL EDGERTON, sir James: una lumbrera como
abogado.

STEPANOV, conde Boris: ruso, miembro destacado de
la mencionada banda.

VANDEMEYER, Rita: aliada de la banda de conspiradores.

WHITTINGTON, Edward: importante personaje de los
conspiradores.

A todos aquellos que llevan una vida monótona, con la esperanza de que puedan gustar las delicias y peligros de la aventura.

PRÓLOGO

Eran las dos de la tarde del 7 de mayo de 1915. El *Lusitania* había sido alcanzado por dos torpedos y se empezaba a hundir rápidamente, mientras los botes salvavidas eran arriados al mar con toda celeridad.

Las mujeres y niños se encontraban alineados aguardando su turno. Algunas mujeres se asían desesperadamente a sus esposos y padres, y otras estrechaban contra sí a sus hijos. Una joven contemplaba la escena sola y algo apartada del resto.

Era muy joven, no tendría más de dieciocho años y, al parecer, no estaba asustada. Sus ojos, de mirada firme y grave, contemplaban el mar.

—Le ruego me perdone.

La voz masculina que escuchó detrás de ella la sobresaltó. Se volvió de inmediato. Había visto a su interlocutor en más de una ocasión en primera clase. Le rodeaba un halo de misterio que había desatado su imaginación. No hablaba con nadie y, si alguien le dirigía la palabra, se apresuraba a cortarlo en seco. Además, tenía un modo muy particular de mirar con recelo por encima del hombro.

Vio que el hombre estaba muy excitado; tenía la frente perlada de sudor. Era obvio que le dominaba un pánico cerval. ¡Y no obstante, no daba la impresión de ser un hombre que tuviera miedo de enfrentarse a la muerte!

—¿Diga? —replicó la muchacha mientras le interrogaba con los ojos.

Él la miraba con una especie de indecisión desesperada. «¡Debo hacerlo! —musitó para sí—. Sí... es el único medio». Y en voz alta agregó con brusquedad:

—¿Es usted norteamericana?

—Sí.

—¿Y patriota?

La joven enrojeció.

—¡No tiene derecho a hacerme semejante pregunta! ¡Claro que lo soy!

—No se ofenda. ¡No se ofendería si supiera lo que está en juego! Pero tengo que confiar en alguien... y tiene que ser una mujer.

—¿Por qué?

—Por lo ya sabido: «Las mujeres y los niños primero». —Miró a su alrededor y bajó la voz—. Soy portador de unos papeles de vital importancia. Pueden hacer que todo cambie para los aliados en la guerra. ¿Comprende? ¡Deben ser salvados! Usted tiene más probabilidades de conseguirlo que yo. ¿Quiere llevarlos consigo?

La muchacha alargó la mano.

—Espere... antes tengo que advertirla. Puede que corra algún riesgo... si me han seguido. No lo creo, pero nunca se sabe. De ser así, correría mucho peligro. ¿Cree que tiene el valor suficiente para seguir adelante?

La joven sonrió.

—Seguiré adelante. ¡Y me siento muy orgullosa de ser la escogida! Pero, ¿qué debo hacer después?

—¡Preste atención a los periódicos! Pondré un anuncio en la columna personal del *Times* que empezará con las palabras: «Compañero de viaje». Si al cabo de tres días no lo ha leído... bueno, es que habré muerto. Entonces lleve el paquete a la Embajada de Estados Unidos y entréguelo personalmente al embajador. ¿Está claro?

—Muy claro.

—Entonces, ¿está dispuesta...? Ahora debo despedirme. —Le estrechó la mano—. Adiós, señorita, y buena suerte —dijo en tono más alto.

Ella cerró su mano sobre el envoltorio impermeable que él le entregaba.

Los pasajeros del *Lusitania*, cada vez más escorado, embarcaban en los botes salvavidas por riguroso turno. En respuesta a una orden dada, la muchacha se adelantó para ocupar su puesto en uno de los botes.

Capítulo primero

JOVENES AVENTUREROS, SOCIEDAD LIMITADA

Tommy, viejo amigo!

—¡Tuppence, vieja calamidad!

Los dos jóvenes se saludaron con grandes muestras de afecto y, durante unos momentos, obstruyeron la boca del metro de Dover Street. El adjetivo «viejo» era equívoco, puesto que entre los dos no sumarían ni cuarenta y cinco años.

—Hace siglos que no te veo —continuó el joven—. ¿A dónde vas? Ven a tomar algo conmigo. Aquí molestamos a todo el mundo... y entorpecemos la salida. Salgamos.

La muchacha asintió y echaron a andar por Dover Street en dirección a Piccadilly.

—Bueno —dijo Tommy—, ¿dónde podemos ir?

El tono de ligera inquietud con que pronunció estas palabras, no escapó al fino oído de miss Prudence Cowley, conocida entre sus amigos íntimos, por alguna oculta razón, con el sobrenombre de Tuppence, y exclamó en el acto:

—Tommy, ¡estás sin blanca!

—Nada de eso —declaró el muchacho en tono un poco convincente—. Nado en la abundancia.

—Siempre has sido un fracaso como mentiroso —dijo Tuppence con severidad—. Aunque en una ocasión hiciste creer a la hermana Greenbank que el doctor te había recetado cerveza como reconstituyente y que se había olvidado de anotarlo en la ficha.

—¿Te acuerdas?

Tommy se echó a reír.

—¡Vaya si lo hice! ¿Y la vieja no se puso hecha una fiera cuando lo descubrió? ¡Y no es que fuese mala, la hermana Greenbank! El viejo hospital supongo que habrá sido desmilitarizado, como todo lo demás, ¿verdad?

Tuppence suspiró.

—Sí. ¿Tú también?

Tommy asintió.

—Hará un par de meses.

—¿Y la gratificación? —insinuó Tuppence.

—La gasté.

—¡Oh, Tommy!

—No te asustes, calamidad, que no fue en diversiones. ¡No tuve esa suerte! El coste de la vida... sencilla, ordinaria, es... te lo aseguro, si es que no lo sabes...

—Mi querido muchacho —le interrumpió la joven—, no hay nada que yo no sepa sobre el coste de la vida. Aquí delante está Lyons; entremos y cada uno pagará su parte.

Tuppence abrió la marcha.

El local estaba lleno. Mientras recorrían la sala buscando una mesa oían fragmentos de conversaciones.

«Y... sabes, se sentó y lloró cuando le dije que no podía quedarse con el apartamento.» «¡Era una verdadera ganga, querida! Idéntico al que Mabel Lewi compró en París...»

—Se oyen cosas muy curiosas —murmuró Tommy—. En la calle pasé junto a un par de tipos que hablaban de una tal Jane Finn. ¿Has oído alguna vez un nombre semejante?

Pero en aquel momento se levantaban dos señoras y, mientras recogían sus paquetes, Tuppence se apresuró a ocupar uno de los asientos vacíos.

Tommy pidió té y bollos. Tuppence té con tostadas.

—Y procure servir el té en teteras separadas —agregó con severidad.

Tommy se sentó ante ella. Su cabeza descubierta dejaba ver sus cabellos rojos peinados con esmero hacia atrás. Su rostro era feo, pero agradable... difícil de describir, pero sin duda el de un caballero y un deportista. Su traje marrón era de buen corte, pero estaba muy usado.

Formaban una pareja muy moderna. Tuppence no era muy bonita, pero su rostro de elfo tenía carácter y encanto. Su barbilla era enérgica y sus grandes ojos grises, muy separados, miraban dulcemente bajo sus cejas oscuras. Llevaba un sombrerito sin alas verde brillante ajustado sobre sus cortos cabellos negros, y la falda vieja y muy corta dejaba ver un par de tobillos bonitos. Su aspecto ofrecía un elogiable intento en pro de la elegancia.

Al fin llegó el té. Tuppence salió de su ensimismamiento y lo sirvió.

—Ahora —dijo Tommy, tomando un gran trozo de bollo—, pongámonos al día. Recuerda que no te veía desde aquella vez en el hospital, en 1916.

—Muy bien. —Tuppence se sirvió abundante mantequilla en una tostada—. Biografía abreviada de miss Prudence Cowley, quinta hija del arcediano Cowley de Little Missendell, Suffolk. Miss Cowley dejó las delicias (y trabajos) de su casa al principio de la guerra y se vino a Londres, donde ingresó en un hospital para oficiales. Primer mes: lavó cada día seiscientos cuarenta y ocho platos. Segundo mes: fue ascendida a secar los antedichos platos. Tercer mes: ascendida a pelar patatas. Cuarto mes: ascendida a cortar pan y untarlo de mantequilla. Quinto mes: ascendida al primer piso para manejar la escoba y el estropajo. Sexto mes: ascendida a servir la mesa. Séptimo mes: su aspecto y maneras amables hacen que la asciendan a servir a las hermanas. Octavo mes: ligero descenso en su carrera. ¡La hermana Bon se come el huevo de la hermana Westhaven! ¡Gran revuelo! ¡La culpa es de la doncella de la sala! ¡Falta de atención en asuntos de tal importancia: debe ser castigada! ¡Vuelta al estropajo y a la escoba! ¡Cómo caen los poderosos! Noveno mes: ascendida a barrer las salas, donde encuentra a un amigo de su infancia en la persona del teniente Thomas Beresford, ¡saluda, Tommy!, a quien no había visto por espacio de cinco largos años. ¡El encuentro fue tierno! Décimo mes: fue reprendida por ir al cine en compañía de uno de los pacientes: el antes mencionado teniente Thomas Beresford. Undécimo y duodécimo mes: vuelve a sus deberes de doncella con éxito absoluto. Y al finalizar el año, deja el hospital rodeada de un halo de gloria. Después de esto, la talentosa señorita Cowley, se convierte sucesivamente en chófer de una camioneta de repartos, de camión y de un general. Éste último fue el empleo más agradable. ¡Era un general bastante joven!

—¿Quién era ese imbécil? —preguntó Tommy—. Es desagradable ver cómo esos jefazos van del ministerio de Guerra al Savoy y del Savoy al ministerio de Guerra.

—He olvidado su nombre —confesó Tuppence—. Resumiendo, eso fue en cierto modo la cúspide de mi carrera. Luego ingresé en una oficina del gobierno. Cada vez que nos reuníamos a tomar el té no lo pasábamos en grande. Tenía intención de convertirme en cartero o conductora de autobús para redondear mi carrera... pero llegó el armisticio. Me aferré al puesto en esa oficina con auténcito espíritu de burócrata durante muchos meses, pero, cielos, al fin me echaron. Desde entonces he estado buscando un empleo. Ahora... te toca a ti.

—En la mía no hay tantos ascensos —dijo Tommy con pesar—, y mucho menos variedad. Como ya sabes, volví a Francia. De allí me enviaron a Mesopotamia, donde me hirieron por segunda vez y estuve en otro hospital. Luego permanecí en Egipto hasta el armisticio. Holgazaneé durante algún tiempo, hasta que al fin me desmovilizaron como te dije. ¡Y por espacio de diez meses interminables he estado buscando trabajo! ¡No hay empleos! Y si los hubiera, no me los darían. ¿Qué sé yo de negocios? Nada.

Tuppence asintió con pesar.

—¿Y si probaras en las colonias? —le sugirió.

Tommy negó con la cabeza.

—No me gustaría... y estoy completamente seguro de que no me aceptarían.

—¿Tienes parientes ricos?

Tommy volvió a menear la cabeza.

—¡Oh, Tommy! ¿Ni siquiera una tía abuela?

—Tengo un tío anciano que nada en la abundancia, pero no me sirve.

—¿Por qué no?

—Quiso adoptarme en cierta ocasión y yo me negué.

—Creo recordar que me hablaste de ello —dijo Tuppence despacio—. Te negaste por tu madre...

Tommy enrojeció.

—Sí, hubiera sido una crueldad. Como ya sabes sólo me tenía a mí. Mi tío la odiaba... y sólo quería apartarme de su lado. Por puro rencor.

—Tu madre murió, ¿verdad? —dijo Tuppence.

Tommy asintió.

Los enormes ojos de Tuppence se nublaron.

—Eres un buen chico, Tommy. Siempre lo fuiste.

—¡Tonterías! —exclamó el muchacho—. Bueno, ésta es mi situación... casi desesperada.

—¡Igual que la mía! He resistido cuanto me ha sido posible. Lo he intentado todo. He contestado anuncios. ¡He ahorrado, economizado y me he privado hasta de lo necesario! Pero ha sido inútil. ¡Tendré que regresar a casa!

—¿Quieres volver?

—¡Claro que no! ¿De qué sirve ser sentimental? Mi padre es un encanto... lo quiero mucho... pero no tienes idea de lo mucho que le preocupo. Tiene un en-

cantador punto de vista victoriano sobre las faldas cor-
tas y el fumar, dos cosas a las que considera inmorales.
¡No puedes imaginarte la espina que soy para él! Suspiró aliviado cuando la guerra me alejó de casa. Comprende, en casa somos siete. ¡Es horrible! ¡No puedes
hacer otra cosa que atender a las tareas de la casa y las
reuniones de mamá! Yo siempre he sido la nota discor-
dante. No quiero regresar. Pero... ¡Oh, Tommy! ¿Qué
puedo hacer si no?

Tommy meneó la cabeza tristemente. Hubo un silencio y finalmente Tuppence exclamó:

—¡Dinero! ¡Dinero! ¡Dinero! ¡Pienso en él por la mañana, por la tarde y por la noche. ¡Soy una interesada,
pero ahí me tienes!

—A mí me ocurre lo mismo —convino Tommy con
pesar.

—He pensado en todos los medios imaginables de
conseguirlo —continuó Tuppence—. ¡Sólo hay tres! He-
redándolo, casándose o ganándolo. El primero queda
eliminado. No tengo ningún pariente viejo y rico.
¡Todos los que tengo se encuentran recluidos en asilos!
Siempre ayudo a las ancianas a cruzar la calle y a llevar paquetes a los viejecitos por si resultara ser algún
millonario excéntrico. Pero ninguno me ha preguntado
siquiera cómo me llamo... y muchos ni me dan las gracias.

Hubo una pausa.

—Desde luego —resumió Tuppence—, el matrimonio
es la mejor oportunidad. Cuando era muy joven, decidí
casarme sólo por dinero. ¡Cualquier chica sensata lo
haría! Ya sabes que no soy sentimental —se detuvo—.
Vamos, no puedes decir que lo sea —agregó mientras le
miraba desafiante.

—Claro que no —se apresuró a decir Tommy—.
Nadie pensará jamás que el sentimentalismo tenga algo
que ver contigo.

—Eso no es muy galante —replicó Tuppence—. Pero
me atrevo a asegurar que lo dices con buena intención.

Bueno. ¡Ahí tienes! Estoy dispuesta y deseosa de casarme... pero nunca conozco hombres ricos. Todos mis amigos andan tan apurados como yo.

—¿Y qué me dices del general? —preguntó el joven.

—Creo que en tiempos de paz tiene una tienda de bicicletas —le explicó Tuppence—. No, no me sirve. En cambio *tú sí* podrías casarte con una chica rica.

—Me pasa lo que a ti. No conozco ninguna.

—Eso no importa. Siempre puedes tener la oportunidad de conocerla. En cambio yo, si veo salir del Ritz a un caballero envuelto en un abrigo de pieles, no puedo correr hasta él y decirle: «Escuche, usted es rico y me gustaría conocerlo».

—¿Sugieres que eso es lo que yo haría ante una mujer en tales condiciones?

—No seas tonto. Tropiezas con ella, le recoges el pañuelo o algo por el estilo. Si cree que deseas conocerla, se sentirá halagada y te ayudará.

—Exageras mis encantos masculinos —murmuró Tommy.

—En cambio —continuó Tuppence—, mi millonario echaría a correr como si le persiguiese el diablo. No... El matrimonio está lleno de dificultades. Sólo queda por lo tanto... *ganar dinero*.

—Ya lo hemos intentado y fracasamos —le recordó Tommy.

—Sí, hemos probado todos los medios corrientes, pero imagina que probamos los otros. Tommy, ¡convirtámonos en aventureros!

—Bueno —replicó el muchacho alegremente—. ¿Cómo empezamos?

—Ahí está la dificultad. Si pudiéramos darnos a conocer, la gente nos contrataría para que cometiéramos delitos en su provecho.

—Delicioso —comentó el muchacho—. ¡Sobre todo viniendo de la hija de un clérigo!

—La culpa moral —le indicó Tuppence— sería de ellos... no mía. Tienes que admitir que existe una gran diferencia entre robar un collar de diamantes para uno mismo o ser contratado para robarlo.

—¡No existiría la menor diferencia si te pescaran!

—Tal vez no. Pero no me cogerían. Soy muy lista.

—La modestia ha sido siempre tu punto flaco —observó Tommy.

—No te hagas el gracioso. Escucha, Tommy, ¿quieres que lo hagamos? ¿Quieres que formemos una sociedad?

—¿Que formemos sociedad para robar collares de brillantes?

—Eso era sólo un ejemplo. Podemos tener un... ¿cómo lo llaman en contabilidad?

—No sé. Nunca estudié contabilidad.

—Yo, sí... Pero siempre me confundía y colocaba las entradas en el debe y las salidas en el haber... Por eso me despidieron. Ah, ya sé... será una sociedad de riesgo. Me pareció una frase romántica perdida entre un montón de números mustios. Tiene cierto sabor isabelino... me hace pensar en bajeles y doblones. ¡Una sociedad de aventureros!

—¿Y la registraremos bajo el nombre de Jóvenes Aventureros, Sociedad Limitada? ¿Es ésa tu idea, Tuppence?

—Sí, ríete, pero creo que podría dar resultado.

—¿Cómo piensas ponerte en contacto con tus posibles clientes?

—Por medio de un anuncio —replicó Tuppence en el acto—. ¿Tienes un lápiz y un pedazo de papel? Los hombres siempre llevan. Igual que nosotras horquillas y polvos.

Tommy le alargó una libretita verde bastante usada y Tuppence empezó a escribir.

—¿Te parece que empiece así: «Joven oficial, dos veces herido en la guerra...»?

—Desde luego que no.

—Está bien, mi querido muchacho. Pero te aseguro que esa clase de cosas ablanda el corazón de las solteronas y tal vez alguna te adoptase, y entonces no necesitarás convertirte en un joven aventurero.

—No quiero que me adopte nadie.

—Olvidé que tienes prejuicios. ¡Sólo lo he dicho por hacerte rabiar! Los periódicos están llenos de estas cosas. Ahora escucha: «Se alquilan dos aventureros jóvenes dispuestos a hacer lo que sea y a ir a cualquier parte, por un buen precio». ¿Qué te parece? Debemos dejar esto bien sentado desde el principio. Luego podríamos agregar: «No rechazamos ninguna oferta razonable...» como pisos y muebles.

—Creo que cualquier oferta que recibieramos en respuesta sería bastante irrazonable.

—¡Tommy! ¡Eres un genio! Eso es mucho más chic. «Ninguna oferta irrazonable será rechazada... si está bien pagada» ¿Qué tal?

—Yo no volvería a mencionar lo del dinero. Parecería que estamos ansiosos.

—¡No parecería nunca tan ansiosoa como me siento! Pero quizá tengas razón. Ahora te lo leeré de corrido. «Se alquilan dos aventureros jóvenes dispuestos a hacer lo que sea y a ir a cualquier parte por un buen precio. Ninguna oferta irrazonable será rechazada». ¿Qué opinarías tú si lo leyeras?

—Lo tomaría o bien por una broma o por algo escrito por un lunático.

—No es ni la mitad de absurdo que el que leí esta mañana que empezaba con «Petunia» y lo firmaba «El Mejor Muchacho» —arrancó la página y se la tendió a Tommy—. Ahí tienes, creo que lo mejor será publicarlo en *The Times*. La respuesta, a lista de correos, ya sabes. Supongo que costará unos cinco chelines. Aquí tienes mi parte: media corona.

Tommy contempló el papel pensativo y su rostro se volvió como la grana.

—¿Debemos intentarlo? —dijo al fin—. ¿Tú crees, Tuppence? ¿Sólo por si resulta divertido?

—Tommy, ¡eres un encanto! ¡Ya lo sabía! Bebamos

por el éxito. —Y sirvió un poco de té ya frío en las dos tazas.

—¡Por nuestra aventura en comandita y una pronta prosperidad!

—¡Por los Jóvenes Aventureros, Sociedad Limitada!—respondió Tommy.

Dejaron las tazas y rieron un tanto inseguros. Tuppence se puso en pie.

—Tengo que regresar a mi suntuosa suite en el hostal.

—Tal vez sea hora de que regrese al Ritz —dijo Tommy con una sonrisa—. ¿Cuándo volveremos a vernos? ¿Y dónde?

—Mañana, a las doce, en la estación del metro de Piccadilly. ¿Te va bien?

—Soy dueño de mi tiempo —replicó mister Beresford con empaque.

—Hasta mañana, entonces.

—Adiós, encanto.

Los dos jóvenes tomaron direcciones opuestas. La pensión de Tuppence estaba situada en lo que se denominaba piadosamente Southern Belgravia. Por razones de economía no tomó el autobús.

Cuando se encontraba en medio del Saint Jame's Park, se sobresaltó al oír una voz masculina a sus espaldas.

—Perdone —le dijo—. ¿Podría hablar un momento con usted?

Capítulo II

LA OFERTA DEL MISTER WHITTINGTON

Tuppence se volvió airada, pero las palabras que estaba a punto de pronunciar se quedaron en la punta de su lengua, ya que el aspecto y modales de aquel hombre no correspondían a su primera y muy natural suposición. Vaciló. Como si le hubiera leído el pensamiento, el hombre se apresuró a decir:

—Le aseguro que no tengo la menor intención de molestarla.

Tuppence le creyó. A pesar del desagrado y la desconfianza instintiva, se sintió inclinada a rechazar la idea que le había inspirado al principio. Lo miró de arriba a abajo. Era un hombre corpulento, cuidadosamente afeitado y de barbilla poderosa. Sus ojos, pequeños y astutos, esquivaban la mirada directa.

—Bien, ¿qué desea? —le preguntó.

El hombre sonrió.

—Por casualidad escuché parte de la conversación que sostenía en *Lyons* con el joven caballero.

—Bueno, ¿y qué?

—Nada... excepto que creo poder serle útil.

Otra deducción apareció en la mente de Tuppence.

—¿Y me ha seguido hasta aquí?

—Me tomé esa libertad.

—¿En qué forma cree que podría serme de utilidad?

El hombre sacó una tarjeta de su bolsillo y se la ofreció con una inclinación.

La joven la estudió con cuidado En ella aparecían las palabras: «Edward Whittington», y bajo este nombre, se leía Esthonia Glassware Co., y su dirección en la ciudad.

—Si quiere pasar por mi despacho mañana por la mañana a las once, le expondré los detalles de mi proposición —dijo Whittington.

—¿A las once? —preguntó Tuppence vacilando.

—A las once.

Tuppence se decidió.

—Muy bien. Allí estaré.

—Gracias. Buenas tardes.

Se quitó el sombrero con ademán cortés antes de alejarse. La joven permaneció unos instantes viéndole marchar. Luego sacudió los hombros con un movimiento muy particular, parecido al de los perros cuando salen del agua.

«Las aventuras han comenzado», murmuró para sí. «Me pregunto qué es lo que quiere que haga. Hay algo en usted, mister Whittington, que no me gusta nada. Pero, por otro lado, no le tengo miedo y, como ya he dicho antes y sin duda volveré a repetir, la pequeña Tuppence sabe cuidar de sí misma, ¡gracias!»

Y con un breve y enérgico gesto de asentimiento echó a andar con decisión. Sin embargo, como resultado de posteriores reflexiones, se desvió de su ruta para entrar en una oficina de correos. Durante unos momentos, meditó con un formulario de telegrama en la mano. Pensar en el gasto innecesario de cinco chelines le decidió a arriesgarse a malgastar nueve peniques.

Desdeñó la pluma despuntada y la tinta negra y espesa que ponía a su disposición el gobierno benefactor, sacó el lápiz de Tommy, que conservaba en su poder, y escribió a toda prisa: «No pongas el anuncio. Mañana te lo explicaré». Lo dirigió a Tommy, a su club, donde sólo podría permanecer un mes más, a menos que la fortuna le permitiera pagar la cuota.

—Quizá le llegue a tiempo —murmuró—. De todas formas vale la pena probarlo.

Después de dárselo al empleado, emprendió a toda prisa el camino de su casa, con una parada en una panadería para comprar por tres peniques unos bollos calientes.

Más tarde, en su diminuta habitación, situada en lo más alto de la casa, se comió los bollos mientras meditaba sobre el futuro. ¿Qué sería aquella empresa Esthonia Glassware Co. y para qué diablos necesitarían de sus servicios? Una agradable excitación la hizo estremecer. Por lo menos, la posibilidad de regresar a la vicaría rural quedaba relegado a segundo término. El mañana le ofrecía nuevas posibilidades.

Aquella noche Tuppence tardó mucho en dormirse y, cuando por fin lo consiguió, soñó que Whittington le mandaba lavar un enorme montón de vajilla proveniente de la compañía Esthonia Glassware Co. que se parecía extraordinariamente a los platos del hospital.

Faltaban cinco minutos para las once cuando Tuppence llegó ante el bloque de edificios donde se encontraba la compañía. Pero el llegar antes de la hora señalada podría demostrar demasiada ansiedad; por ello decidió pasear hasta el final de la calle y luego regresar. A las once en punto entró en el edificio. La Esthonia Glassware Co. se encontraba en el último piso. Había ascensor, pero prefirió subir a pie.

Un poco exhausta, se detuvo ante la puerta de cristal esmerilado en la que se leía: Esthonia Glassware Co.

Tuppence llamó con los nudillos y, como respuesta a una voz que salió del interior, hizo girar el pomo y entró en una oficina pequeña y bastante sucia.

Un empleado bajó de un taburete alto de la mesa que estaba junto a la ventana para acercarse a ella con ademán interrogador.

—Tengo una cita con mister Whittington —anunció Tuppence.

—¿Quiere pasar, por favor?

Se dirigió a una puerta en la que se leía «Privado», a la que llamó con los nudillos, y se hizo a un lado para cederle el paso.

Whittington estaba sentado detrás de un gran escritorio cubierto de papeles. Tuppence confirmó su primer juicio. Había algo raro en su persona. La combinación de su aspecto próspero y su mirada huidiza no resultaba atractiva.

—¿De modo que ha venido? —exclamó al verla—. Bien. Siéntese, por favor.

Tuppence ocupó la butaca que estaba ante él. Aquella mañana parecía particularmente menuda y tímida. Se sentó con los ojos bajos mientras Whittington revolvía entre sus papeles. Al fin los dejó a un lado y se inclinó sobre la mesa.

—Ahora, mi querida señorita, pasemos a tratar de negocios. —Su rostro se ensanchó con una sonrisa—. ¿Quiere usted trabajar? Bien, yo tengo un trabajo que ofrecerle. ¿Qué le parecerían cien libras y todos los gastos pagados?

Whittington se echó hacia atrás introduciendo sus pulgares en las sisas de su chaleco.

Tuppence le miró aturdida.

—¿Y por qué clase de trabajo? —preguntó.

—Nominal... puramente nominal. Un viaje de placer, eso todo.

—¿A dónde?

Whittington volvió a sonreír.

—A París.

—¡Oh! —exclamó Tuppence pensativa, diciendo para sus adentros: «Si mi padre lo oyera le daría un síncope. Pero, de todas maneras, no puedo imaginarme a mister Whittington en el papel de alegre seductor».

—Sí —continuó Whittington—. ¿Qué podría ser más agradable? Retrasar el reloj unos pocos años... muy pocos, estoy seguro... y volver a uno de esos encantadores *pensionnats de jeunes filles* que tanto abundan en París.

Tuppence le interrumpió:

—*Un pensionnat?*

—Exacto. El de madame Colombier, de la avenida de Neuilly.

Tuppence lo conocía bien de nombre. Era de lo más selecto. Allí habían estado varias amigas norteamericanas.

Se sintió más intrigada que nunca.

—¿Quiere que vaya al madame Colombier? ¿Por cuánto tiempo?

—Eso depende. Posiblemente unos tres meses.

—¿Y eso es todo? ¿No existen condiciones?

—Ninguna. Desde luego, irá usted como si fuera mi pupila y no podrá comunicarse con sus amistades. Tengo que exigirle el secreto más absoluto desde el principio. A propósito, es usted inglesa, ¿verdad?

—Sí.

—No obstante habla con ligero acento norteamericano.

—Mi compañera en el hospital era de allí; creo que se me pegó un poco. Pero puedo librarme de él cuando quiera.

—Al contrario. Le será más sencillo hacerse pasar por norteamericana. Serían más difíciles de probar los detalles de su vida pasada en Inglaterra. Sí, creo que será mucho mejor. Entonces...

—¡Un momento, mister Whittington! ¡Parece que da usted por sentado que voy a aceptar!

Whittington pareció sorprendido.

—¡No pensará usted negarse! Puedo asegurarle que el pensionado de madame Colombier es uno de los colegios de más seriedad y categoría. Y las condiciones son muy generosas.

—Exacto —replicó Tuppence—. Precisamente eso. Son demasiado generosas, mister Whittington. Y no comprendo en qué forma puede usted pensar que yo puedo valer ese dinero.

—¿No? —le dijo con voz suave—. Bien, se lo diré. Podría encontrar cualquier otra por menos dinero. Pero estoy dispuesto a pagar por una joven con la suficiente inteligencia y presencia para representar bien su papel y que, al mismo tiempo, tenga la discreción de no hacer demasiadas preguntas.

Tuppence sonrió. Comprendió que Whittington le llevaba ventaja.

—Hay otra cosa. Hasta ahora no ha mencionado usted a mister Beresford. ¿Cuándo interviene él?

—¿Mister Beresford?

—Mi socio —repuso Tuppence con dignidad—. Ayer nos vio usted juntos.

—¡Ah, sí! Pero me temo que no precisaré de sus servicios.

—¡Entonces, asunto liquidado! —Tuppence se puso en pie—. Los dos o ninguno. Lo siento... pero es así. Buenos días, mister Whittington.

—Espere un momento. Vamos a ver si podemos arreglarlo. Vuelva a sentarse, señorita... —Hizo una pausa.

A Tuppence le dio un vuelco el corazón al recordar a su padre, el arcediano, y se apresuró a pronunciar el primer nombre que le vino a la memoria.

—Jane Finn —dijo sin vacilar; y se quedó boquiabierta al ver el efecto producido con aquellas dos sencillas palabras.

Toda la cordialidad había desaparecido del rostro de Whittington; ahora estaba rojo de ira y las venas se marcaban en sus sienes. Pero su expresión no alcanzaba a disimular algo que parecía incredulidad y desencanto. Se inclinó hacia ella y dijo con siseo salvaje:

—De modo que ése es el juego que se trae, ¿verdad, jovencita?

Tuppence, aunque cogida por sorpresa, supo conservar la calma. No tenía la menor idea del significado de todo aquello, pero poseía una mentalidad rápida y sintió la necesidad imperiosa de «mantenerse alerta», como ella decía.

—Ha estado jugando todo el tiempo conmigo —continuó Whittington—, como el gato y el ratón, ¿verdad? Sabiendo lo que deseaba de usted y continuando la comedia. Es eso, ¿verdad? —se iba calmando. Su rostro perdía paulatinamente el color rojo y la miraba con fijeza—. ¿Quién ha estado largando? ¿Rita?

Tuppence negó con la cabeza. Ignoraba cuánto tiempo podría seguir engañándolo, pero comprendió la importancia de no mezclar en aquello a una Rita desconocida, y optó por decir la verdad.

—No. Rita no sabe nada de mí.

Sus ojos seguían taladrando los de ella como barrenas.

—¿Qué sabe usted? —le espetó.

—Muy poco —repuso Tuppence. Se sintió complacida al ver que la inquietud de Whittington se acentuaba en vez de disminuir. Alardear de grandes conocimientos hubiera despertado sospechas en su mente.

—De todas formas —gruñó Whittington—, sabe lo suficiente para venir aquí y lanzar ese nombre.

—Podría ser el mío —le indicó Tuppence.

—¿Le parece probable que existan dos jóvenes con un nombre como ése?

—O podría haberlo oído por casualidad —continuó Tuppence, satisfecha del éxito de su sinceridad.

Whittington dejó caer su puño con fuerza sobre el escritorio.

—¡Basta de tonterías! ¿Qué sabe usted? ¿Y cuánto quiere?

Las tres últimas palabras hicieron mella en Tuppence, sobre todo después de un parco desayuno y los bollos que cenara la noche anterior, y se sentó más erguida con la sonrisa y el aire de quien domina la situación.

—Mi querido mister Whittington —le dijo—, pongamos nuestras cartas sobre la mesa, y le ruego que no se enfurezca. Ayer me oyó decir que me proponía vivir de mi inteligencia. ¡Me parece que ahora he demostrado que tengo la suficiente para poder vivir de ella! Admito que he oído ese nombre, pero tal vez mi conocimiento termine ahí.

—Sí... pero es muy posible que no —gruñó Whittington.

—Insiste en juzgarme mal —dijo Tuppence con un suspiro.

—Como ya le dije antes —replicó Whittington furioso—, déjese de tonterías y vayamos al grano. Conmigo no puede hacerse la inocente. Sabe mucho más de lo que quiere admitir.

Tuppence calló un momento para admirar su propia ingenuidad, y luego dijo suavemente:

—No quisiera contradecirle, mister Whittington.

—De modo que pasemos a la pregunta acostumbrada: ¿cuánto?

Tuppence se encontró ante un dilema. Hasta el momento había engañado a Whittington con éxito, pero, si ahora mencionaba una cifra imposible, podría despertar sus sospechas. Una idea cruzó rauda por su cerebro.

—¿Qué le parece si me diera algo ahora y discutimos el asunto más tarde?

Whittington le dirigió una mirada terrible.

—Chantaje, ¿verdad?

Tuppence sonrió con dulzura.

—¡Oh, no! Llamémoslo un pago adelantado por mis servicios.

Whittington lanzó un gruñido.

—Verá —prosiguió Tuppence en el mismo tono—. ¡Me interesa tan poco el dinero!

—Es usted el colmo —rugió Whittington con admiración—. Me ha engañado con la inteligencia suficiente para lograr sus propósitos.

—La vida está llena de sorpresas —sentenció Tuppence.

—De todas maneras —continuó Whittington—, alguien ha debido hablar. Dice que no fue Rita. ¿Fue...? ¡Oh, adelante!

El empleado apareció después de haber llamado y colocó un papel junto al codo de su jefe.

—Acaba de llegar un mensaje telefónico para usted, señor.

Whittington cogió el papel para leerlo y frunció el ceño.

—Está bien, Brown. Puede retirarse.

El empleado salió de la estancia, cerrando la puerta tras sí. Whittington se volvió a Tuppence.

—Venga mañana a la misma hora. Ahora estoy muy ocupado. Aquí tiene cincuenta libras de momento.

Rápidamente contó varios billetes, se los tendió a Tuppence, y se irguió impaciente para indicar que se había acabado la entrevista.

La joven contó los billetes, los metió en su bolso y se levantó.

—Buenos días, mister Whittington —le dijo cortésmente—. Mejor dicho, yo diría *au revoir*.

—Exacto. *Au revoir*! —Whittington volvió a adquirir su tono jovial, cosa que inquietó ligeramente a Tuppence—. *Au revoir*, mi encantadora jovencita.

Tuppence bajó a toda prisa la escalera presa de una sensación indecible, cuando un reloj cercano señalaba las doce menos cinco.

—¡Voy a dar una sorpresa a Tommy! —murmuró deteniendo un taxi.

Dijo al chófer que se detuviera ante la estación del metro. Tommy la esperaba unos pasos más alla y abrió los ojos como platos mientras se deba prisa para ayudarla a descender.

Tuppence le sonrió con cariño y dijo con voz ligeramente afectada:

—Paga tú, ¿quieres? ¡El billete más pequeño que tengo es de cinco libras!

Capítulo III

UN PASO ATRÁS

El momento no fue tan triunfal como correspondía. Para empezar, los recursos de los bolsillos de Tommy eran algo limitados. Al fin consiguió pagar al taxista con el aporte de dos peniques por parte de la dama, y el conductor, que todavía mantenía la variedad de monedas en la mano, fue urgido a marcharse, cosa que hizo después de un último y grosero comentario sobre lo que pensaba que le estaba dando el caballero.

—Me parece que le has dado demasiado, Tommy —dijo Tuppence, con un tono ingenuo—. Creo que quiere devolverte algo.

Fue quizás aquel comentario lo que indujo al conductor a marcharse.

—Bueno —dijo Tommy cuando al fin pudo expresar sus sentimientos—, ¿para qué diablos has tenido que tomar un taxi?

—Temía llegar tarde y hacerte esperar —replicó Tuppence amablemente.

—¡Temías... llegar... tarde! ¡Ay, Señor, renunció —exclamó Beresford.

—Y es cierto —continuó Tuppence con los ojos muy abiertos—, que el billete más pequeño que tengo es de cinco libras.

—Has representado muy bien la comedia, pero de todas maneras ese individuo no se lo ha creído... ni por un momento.

—No —repuso Tuppence pensativa—, no se lo ha creído. Eso es lo curioso, cuando uno dice la verdad nadie le cree. Lo descubrí esta mañana. Ahora vamos a comer. ¿Qué te parece el Savoy?

Tommy sonrió.

—¿Por qué no el Ritz?

—Pensándolo mejor, prefiero ir a Piccadilly. Está más cerca y no tendremos que tomar otro taxi. Vamos.

—¿Es éste un nuevo tipo de humor? ¿O es que has perdido el juicio? —preguntó Tommy.

—Tu segunda suposición es la acertada. ¡He entrado en posesión de dinero, y ha sido un golpe demasiado fuerte para mí! Para este desequilibrio mental un famoso médico recomienda *hors d'oeuvre, langouste à l'américaine*, pollo *Newberg* y *pêche Melba*. ¡Vamos a por ellos!

—Tuppence, mi vieja amiga, ¿qué te ha ocurrido?

—¡Ah, incrédulo! —Tuppence abrió su bolso—. ¡Mira esto, esto y esto!

—¡Mi querida niña, no sacudas los billetes de esta manera.

—No son billetes, sino cinco veces mejor que eso, y éste es diez veces mejor.

Tommy lanzó un gemido.

—¡He estado bebiendo sin darme cuenta! ¿Estoy soñando o de verdad has blandido un montón de billetes de cinco libras de un modo peligroso?

—Es bien cierto. *Ahora*, ¿quieres que vayamos a comer?

—Iré a donde quieras. Pero, ¿qué has estado haciendo? ¿Asaltando un banco?

—Todo a su debido tiempo. Piccadilly Circus es un lugar horrible. Ese enorme autobús está a punto de atropellarnos. ¡Sería terrible que matara los billetes!

—¿Subimos al *grill*? —preguntó Tommy cuando llegaron salvos a la otra acera.

—El otro es más caro —musitó Tuppence.

—Eso son extravagancias. Vamos abajo.

—¿Estás seguro de que ahí podrán darme todo lo que deseo?

—¿Ese menú extremadamente nocivo que acabas de anunciar? Claro que sí...

—Y ahora cuéntame... —dijo Tommy, incapaz de dominar su curiosidad por más tiempo cuando se sentaron rodeados de los muchos *hors d'oeuvre* soñados por Tuppence.

Miss Cowley se lo contó todo.

—¡Y lo curioso del caso —concluyó—, es que en realidad yo inventé el nombre de Jane Finn! No quise dar el de mi pobre padre... por temor a que se viera envuelto en algo vergonzoso.

—Tal vez tú lo creas así —dijo Tommy despacio—. Pero no lo inventaste tú.

—¿Qué?

—No. Yo te lo dije. ¿No lo recuerdas? Ayer te conté que había oído a dos personas que hablaban de una tal Jane Finn. Por eso te vino tan pronto a la memoria.

—De modo que fuiste tú. Ahora lo recuerdo. ¡Qué extraordinario...! —Tuppence hizo una pausa y de pronto exclamó—: ¡Tommy!

—¿Sí?

—¿Qué aspecto tenían? Los dos hombres junto a los pasaste.

Tommy frunció el entrecejo en su esfuerzo por recordar.

—Uno era grueso, bien afeitado, y creo que... moreno.

—Ése es él —chilló Tuppence—. ¡Es Whittington! ¿Y cómo era el otro?

—No consigo acordarme. Apenas me fijé en él. En realidad sólo fue ese nombre lo que me llamó la atención.

—¡Y hay quien no cree en las coincidencias! —Tuppence atacó feliz el *pêche Melba*.

Pero Tommy se había puesto serio.

—Escucha, Tuppence, ¿adónde llevará todo esto?

—A conseguir más dinero —replicó su compañera.

—Lo sé. Sólo tienes esa idea en la cabeza. Lo que quiero decir es: ¿cuál será el próximo paso? ¿Cómo vas a continuar el juego?

—¡Oh! —Tuppence dejó la cucharilla—. Tienes razón, Tommy. Es un problema difícil.

—Ya sabes que no puedes engañarle siempre. Tarde o temprano seguro que te descubrirán. Y de todas formas, no estoy seguro de que no sea punible... el chantaje, ya sabes...

—Tonterías. El chantaje consiste en afirmar que hablarás a no ser que te den dinero. Pues bien, yo no podría decir nada, puesto que en realidad nada sé.

—¡Hum! —replicó Tommy poco convencido—. Bien, de todas maneras, ¿*qué* vamos a hacer? Whittington esta mañana tenía prisa por librarse de ti, pero la próxima vez querrá saber algo más antes de separarse de su dinero. Querrá saber cuanto antes de dónde obtuviste la información y muchas cosas más a las que tú no puedes contestar. ¿Qué piensas hacer?

Tuppence frunció el ceño.

—Debemos pensar. Pide café turco, Tommy. Estimula el cerebro. ¡Oh, Dios mío, cuánto he comido!

—¡Eres una tragona! También yo he comido lo mío, pero me enorgullezco de que mi elección de platos ha sido mucho más juiciosa que la tuya. Dos cafés —esto iba dirigido al camarero—, uno turco y otro francés.

Tuppence sorbió el café con aire pensativo y reprendió a Tommy cuando le habló.

—Cállate. Estoy pensando.

Tommy guardó silencio.

—¡Ya está! —dijo Tuppence al fin—. Tengo un plan. Evidentemente lo que hemos de hacer es averiguar algo más acerca de todo esto.

Tommy aplaudió.

—No te burles. Sólo podemos descubrirlo a través de

Whittington. Debemos averiguar dónde vive, lo que hace... espiarlo, en una palabra. Yo no puedo hacerlo porque me conoce, pero a ti sólo te vio un momento en *Lyons*, y es probable que no te reconozca. Al fin y al cabo, los chicos jóvenes sois casi todos iguales.

—Rechazo este comentario. Estoy seguro de que mis facciones agraciadas y mi aspecto distinguido, me harían sobresalir incluso en medio de una multitud.

—Mi plan es éste —continuó Tuppence con calma—. Mañana iré yo, y le engañaré igual que hice hoy. No importa que no consiga más dinero de momento. Estas cincuenta libras nos durarán varios días.

—¡O incluso más!

—Tú esperarás fuera y, cuando yo salga, no te hablaré por si nos vigilan, pero me situaré en algún lugar cercano y, cuando él salga del edificio, dejaré caer mi pañuelo o algo por el estilo y tú lo sigues.

—¿Adónde?

—¡Pues adonde sea, tonto! ¿Qué te parece la idea?

—De esas cosas que se leen en las novelas. Sin embargo, creo que en la vida real debe uno sentirse algo estúpido si permanece durante horas en la calle sin nada que hacer. La gente se preguntará qué estoy haciendo.

—En la ciudad no. Todo el mundo tiene prisa. Lo más probable es que ni siquiera reparen en ti.

—Es la segunda vez que haces esa clase de comentarios. No importa, te perdono. De todas formas será divertido. ¿Qué vas a hacer esta tarde?

—Pues —dijo Tuppence despacio— *había pensado* comprar un sombrero. ¡O tal vez un par de medias de seda! O puede que...

—Frena —le aconsejó Tommy—. ¡Las cincuenta libras tienen un límite! Pero podemos ir a cenar y luego a algún espectáculo.

—No está mal.

El día transcurrió agradablemente y la noche todavía más. Ahora dos de los billetes de cinco libras habían desaparecido.

Se encontraron a la mañana siguiente tal como habían convenido y se dirigieron a la ciudad. Tommy permaneció en la acera de enfrente mientras Tuppence penetraba en el edificio.

El muchacho paseó hasta el extremo de la calle y luego regresó. Cuando volvía a aproximarse al edificio vio que Tuppence cruzaba la calzada en dirección hacia él.

—¡Tommy!

—Sí, ¿qué ocurre?

—La oficina está cerrada. No he conseguido que me oyera nadie.

—¡Qué extraño!

—¿Sí, verdad? Sube conmigo e intentémoslo de nuevo.

Tommy la siguió y, cuando estaban en el tercer rellano, un joven empleado salió de un despacho. Vaciló un instante y al fin se dirigió a Tuppence.

—¿Buscan la Esthonia Glassware Co.?

—Sí.

—Está cerrada desde ayer tarde. Dicen que ha quebrado. Primera noticia, pero de todas formas el despacho está por alquilar.

—Gra... gracias —tartamudeó Tuppence—. Supongo que no sabrá usted la dirección de mister Whittington.

—Me temo que no. Se marcharon tan de improviso...

—Muchísimas gracias —dijo Tommy—. Vamos, Tuppence.

Volvieron a salir a la calle, donde se miraron estupefactos.

—Esto ha terminado —dijo Tommy al fin.

—Y yo no lo sospeché nunca —gimió Tuppence.

—Anímate, chica, no tiene remedio.

—¿Que no? —La joven alzó la barbilla desafiante—. ¿Tú crees que esto es el fin? Si así es, te equivocas. Es sólo el principio!

—¿El principio de qué?

—¡De nuestra aventura! Tommy, ¿no comprendes que si se han asustado lo bastante como para salir corriendo, eso demuestra que debe haber mucho más de lo que imaginamos en el asunto de esa Jane Finn? Bien, hemos de llegar hasta el fondo. ¡Los perseguiremos! ¡Seremos sabuesos incansables!

—Sí, pero no queda nadie a quien seguir la pista.

—No, por eso tendremos que empezar de nuevo. Préstame tu lápiz. Gracias. Aguarda un momento... y no interrumpas. ¡Ya está!

Tuppence le devolvió el lápiz y repasó satisfecha el trozo de papel en el que había estado escribiendo.

—¿Qué es esto?

—Un anuncio.

—¿No pensarás ponerlo después de todo?

—No. Éste es distinto.

Le tendió el papel.

Tommy leyó en voz alta.

—«Se desea cualquier información acerca de Jane Finn. Escribir a J.A.».

Capítulo IV

¿QUIÉN ES JANE FINN?

El día siguiente pasó muy despacio. Era preciso restringir los gastos. Bien administradas, cuarenta libras durarían mucho. Por suerte el tiempo era bueno y «pasear es barato», sentenciaba Tuppence. Pasaron la tarde en un cine.

El día de la desilusión había sido el miércoles. El jueves apareció el anuncio y esperaban que las cartas comenzaran a llegar el viernes a las habitaciones de Tommy.

El joven había prometido no abrir ninguna, si es que llegaban, y llevarlas a la National Gallery, donde su colega le esperaría a las diez.

Tuppence fue la primera en acudir a la cita. Ocupó uno de los asientos tapizados de terciopelo rojo, y contempló sin ver, los cuadros de Turner, hasta que vio entrar a su amigo.

—¿Y bien?

—¿Y bien? —repitió el joven Beresford en tono provocador—. ¿Cuál es tu cuadro favorito?

—No seas malo. ¿Hay alguna respuesta?

Tommy meneó la cabeza con una tristeza profunda y un tanto exagerada.

—No quisiera decepcionarte, chica, diciéndotelo de golpe. Mala suerte. Hemos malgastado el dinero. —Suspiró—. Bueno, aquí tienes. El anuncio se ha publicado, y... ¡sólo hemos tenido dos respuestas!

—¡Tommy, eres un diablo! —casi gritó Tuppence—. Dámelas. ¿Cómo puedes ser tan ruin?

—¡El léxico, Tuppence, vigila tu léxico! Son muy exigentes en la National Gallery. Ya sabes, es una institución del gobierno. Y recuerda que, como ya te he indicado muchas veces, como hija de un arcediano...

—¡Tendría que estar en un escenario! —terminó Tuppence.

—Eso no es lo que pensaba decir. Pero si estás segura de haber disfrutado de la reacción de sentir alegría después del desaliento, cosa que acabo de proporcionarte gratis, pasemos a despachar nuestra correspondencia, como suele decirse.

Tuppence le arrebató los dos sobres sin ceremonias y los estudió con suma atención.

—Éste es de papel muy grueso; da la sensación de riqueza. Lo dejaremos para lo último. Abre el otro primero.

—Tienes razón, ¡A la una, a las dos... y a las tres!

Tuppence abrió el sobre y extrajo su contenido:

Muy señor mío,
Es posible que pueda serle útil con respecto a su anuncio aparecido en los periódicos de la mañana. Quizá pueda venir a visitarme a la dirección que le incluyo, mañana por la mañana, a las once.
Suyo afectísimo,

A. Carter

—Carshalton Terrace, 27 —dijo Tuppence leyendo la dirección—. Eso está por Gloucester Road. Tenemos tiempo de sobra para ir allí si tomamos el metro.

—Lo inmediato es un plan de campaña —dijo Tommy—. Ahora me toca a mí iniciar la ofensiva. Al ser introducido a la presencia de mister Carter, él y yo nos daremos los buenos días como es costumbre. Entonces él dirá: «Por favor, siéntese, señor...» A lo cual yo responderé en el acto y en tono muy significativo: «Mister Whittington». Mister Carter se pondrá como la grana y exclamará: «¿Cuánto?» Una vez tenga en mi bolsillo las cincuenta libras de rigor, me reuniré contigo en la calle y nos dirigiremos a la dirección siguiente para repetir la farsa.

—No seas absurdo, Tommy. Ahora abre la otra carta. ¡Oh, ésta es del Ritz!

—¡Pediré cien libras en vez de cincuenta!

—Yo la leeré.

Muy señor mío,
Referente a su anuncio, celebraría verle en mi hotel a la hora de comer.
Suyo afectísimo,

Julius P. Hersheimmer

—¡Ajá! —exclamó Tommy—. Huelo un alemán, o ¿se tratará de un millonario norteamericano de desgraciado abolengo? De todas formas, acudiremos a la cita. Una hora excelente. Quizás acabemos con una comida gratis para dos personas.

Tuppence asintió.

—Ahora vamos a ver a Carter. Tendremos que darnos prisa.

Carshalton Terrace resultó ser una impecable muestra de lo que Tuppence llamaba «casas de aspecto señorial». Tocaron el timbre del número 27 y una doncella muy pulcra les abrió la puerta. Su aspecto era tan respetable que a Tuppence le dio un vuelco el corazón. Cuando Tommy preguntó por mister Carter, les llevó a un despachito de la planta baja donde los dejó. No obstante, apenas había transcurrido un minuto cuando se abrió la puerta para dar paso a un hombre alto de aspecto fatigado y cara de halcón.

—¿El señor J.A.? —dijo con una sonrisa muy atractiva—. Por favor, siéntense.

Obedecieron. Él ocupó una butaca frente a Tuppence y le sonrió para animarla. Había un no sé qué en aquella sonrisa que hizo que la joven perdiera su acostumbrado dinamismo.

Como al parecer no estaba dispuesto a entablar conversación, Tuppence se vio obligada a comenzar.

—Querríamos saber... es decir, ¿será usted tan amable de decirnos lo que sabe de Jane Finn?

—¿Jane Finn? ¡Ah! —Carter pareció reflexionar—. Bueno, la cuestión es, ¿qué saben ustedes de ella?

Tuppence se irguió.

—No veo que tiene eso que ver.

—¿No? Pues lo tiene y mucho, ¿sabe? —Volvió a sonreír con su aire cansado y continuó—: De modo que volvemos a lo mismo. *¿Qué* saben de Jane Finn?

Al ver que Tuppence permanecía callada, se inclinó hacia delante y su voz adquirió un tono persuasivo.

—Vamos. Tienen que saber *algo* para poner ese anuncio. Supongamos que me dicen...

Había cierto magnetismo en la personalidad de mister Carter, y Tuppence se libró de él con un esfuerzo al decir:

—No podemos hacerlo, ¿verdad, Tommy?

Pero, ante su sorpresa, su compañero no la secundó. Tenía los ojos fijos en Carter, y su tono, cuando habló, denotaba una deferencia desacostumbrada.

—Me parece que lo poco que sabemos no va a servirle de nada, señor. Pero se lo diremos con mucho gusto.

—¡Tommy! —exclamó Tuppence sorprendida.

Carter se removió en su butaca y sus ojos formularon una pregunta.

Tommy asintió.

—Sí, señor, le he reconocido en seguida. Le vi en Francia cuando estuve en Inteligencia. Tan pronto como entré en esta habitación supe...

Mister Carter levantó una mano.

—Nada de nombres, por favor. Aquí me conocen por

mister Carter. A propósito, es la casa de mi prima. Ella me la presta algunas veces cuando se trata de trabajar en algún caso de un modo extraoficial. Bien, ahora...
—Miró a los jóvenes—, ¿quién va a contarme la historia?

—Adelante, Tuppence —le animó Tommy—. Cuéntala tú.

—Bien, señorita. La escucho.

Obediente, la joven refirió toda la historia desde el momento en que se fundó Jóvenes Aventureros, Sociedad Limitada.

Carter la escuchaba en silencio con su aire cansado. De vez en cuando, se pasaba la mano por la cara para ocultar una sonrisa. Cuando hubo terminado asintió solemne.

—No es gran cosa, pero resulta sugerente... muy sugerente. Perdonen lo que voy a decirles, pero son ustedes una pareja muy curiosa. No sé... es posible que tengan éxito donde otros han fracasado... yo creo en la suerte, siempre he creído, ¿saben?

Hizo una pausa y continuó:

—Bien, ¿qué les parece? Ustedes van en busca de aventuras. ¿Les gustaría trabajar para mí? De modo extraoficial, claro. Todos los gastos pagados y un sueldo moderado.

Tuppence lo miraba con los labios entreabiertos y los ojos desorbitados.

—¿Qué tendremos que hacer? —susurró.

Carter sonrió.

—Pues continuar lo que están haciendo ahora. Buscar a *Jane Finn*.

—Sí, pero... ¿quién es Jane Finn?

Carter asintió con gesto grave.

—Sí, creo que tienen derecho a saberlo.

Se recostó en su butaca, cruzó las piernas, juntó las yemas de los dedos y comenzó en tono monótono:

—La diplomacia secreta, que dicho sea de paso casi

siempre es mala política, no les concierne a ustedes. Será suficiente decirles que, en los primeros días de 1915, se redactó un documento. Era el borrador de un acuerdo secreto... o tratado... como quieran llamarle.

»Estaba listo para ser firmado por diversos representantes, y se guardaba en Estados Unidos... que entonces era un país neutral. Fue enviado a Inglaterra con un mensajero especial escogido para este fin... un joven llamado Danvers. Esperaban que todo aquel asunto se mantendría en secreto y que nada trascendería. Con esa clase de esperanza casi siempre se sufre una decepción. ¡Siempre hay alguien que habla!

»Danvers embarcó para Inglaterra en el Lusitania. Llevaba los preciosos papeles en un envoltorio impermeable. Durante aquel viaje, el *Lusitania* fue torpedeado y hundido. Danvers estaba en la lista de los desaparecidos. Al fin su cadáver apareció en la playa y fue identificado sin ningún género de dudas. ¡Pero el sobre impermeable había desaparecido!

»La pregunta era, ¿se lo habían quitado, o él mismo lo entregó a alguien para que lo custodiara? Había algunos indicios que sustentaban esta última teoría. Después de que el torpedo alcanzara el barco y durante los momentos en que fueron arriados los botes salvavidas al mar, Danvers fue visto hablando con una joven norteamericana. A mí me parece muy probable que le confiara el sobre creyendo que ella, por ser mujer, tenía muchas más probabilidades de llevarlo a tierra.

»Pero de ser así, ¿dónde está esa muchacha y qué ha hecho del sobre? Según las últimas noticias de Estados Unidos parece ser que Danvers fue seguido muy de cerca. ¿Es que acaso esa joven estaba asociada a sus enemigos? ¿O tal vez también fue seguida, engañada, o quizá obligada a entregar el preciado documento?

»Nos dispusimos a buscarla, cosa que resultó en extremo difícil. Su nombre es Jane Finn y aparecía en la lista de supervivientes, pero parece haberse desvanecido en el aire. Sus antecedentes nos han ayudado muy poco. Era huérfana y había sido lo que aquí llamamos maestra de párvulos en una escuela del oeste de Estados Unidos. Se le había expedido un visado para París, donde iba a trabajar en un hospital. Se había ofrecido voluntaria y, tras mantener alguna correspondencia, fue aceptada. Como su nombre aparecía en la lista de supervivientes del *Lusitania*, en el hospital se extrañaron mucho de que no se presentara, ni supieran de ella.

»Pues bien, se hizo todo lo posible por encontrarla... pero todo fue en vano. Le seguimos la pista a través de Irlanda, pero la perdimos desde que pisó Inglaterra.

»Nadie ha utilizado el acuerdo, o tratado... como pudieron hacer fácilmente... y por ello llegamos a la conclusión de que Danvers, después de todo, lo había destruido. La guerra entró en otra fase, el rumbo diplomático cambió y el tratado no volvió a mencionarse nunca. Los rumores de su existencia fueron desmentidos. Se olvidó la desaparición de Jane Finn y el asunto quedó archivado.

Carter hizo una pausa y Tuppence intervino, impaciente.

—Pero, ¿por qué ha vuelto a surgir ahora? La guerra ha terminado.

Una ligera alarma apareció el rostro de Carter.

—Porque parece ser que el documento no fue destruido, y pudiera resurgir en la actualidad con un nuevo y fatal significado.

Tuppence le miró asombrada. Mister Carter asintió.

—Sí cinco años atrás ese tratado era un arma en nuestras manos, hoy lo es contra nosotros. Era un disparate enorme. Si se hiciera público, podría significar un desastre... y posiblemente otra guerra... y esta vez, no contra Alemania. Es una posibilidad extrema y yo no creo en esa probabilidad, pero ese documento implica, sin duda alguna, a un buen número de nuestros hombres de Estado que no pueden ser desacreditados en los momentos presentes. Como propaganda para los laboristas sería irresistible y, en mi opinión, un gobierno laborista en esta ocasión sería una gran traba para el comercio británico, pero eso es una minucia comparado con otro peligro *real*.

Se detuvo y luego preguntó en voz baja:

—¿Es posible que hayan oído o leído, que la influencia bolchevique está detrás de la agitación laboral que se vive actualmente?

Tuppence asintió.

—Es verdad. El oro bolchevique está entrando en el país con el propósito específico de provocar una revolución. Y existe un hombre, cuyo nombre desconocemos, que trabaja en la oscuridad para sus propios fines. Los bolcheviques están detrás de la inquietud laboral... pero este hombre está *detrás de los bolcheviques*. ¿Quién es? Lo ignoramos.

»Siempre se habla de él por el apodo vulgar de «mister Brown». Pero una cosa es segura, que es el archicriminal de esta época. Controla una organización muy eficaz. La mayor parte de la propaganda de paz que se hizo durante la guerra fue originada y patrocinada por él. Sus espías están en todas partes.

—¿Un alemán naturalizado? —preguntó Tommy.

—Al contrario. Tengo motivos para creer que es inglés. Es pro alemán como hubiera podido ser pro boer. Ignoramos lo que busca... probablemente el supremo poder para él, de una clase única en la historia. No tenemos la menor pista de su verdadera identidad. Hemos sido informados de que ni sus seguidores lo conocen. Siempre que hemos tropezado con sus huellas descubrimos que ha representado un papel secundario. Otro cualquiera asume el principal, pero luego descubrimos que ha habido una persona insignificante, un criado o un empleado que ha permanecido en segundo término sin llamar la atención, y que el escurridizo mister Brown se nos ha escapado una vez más.

—¡Oh! —exclamó Tuppence—. Me pregunto...

—¿Sí?

—Recuerdo la oficina de mister Whittington. El empleado... se llamaba Brown. No creerá usted...

Carter asintió pensativo.

—Es muy posible. Lo único es que ese nombre se menciona con mucha frecuencia. ¿Podría describirlo?

—La verdad es que apenas me fijé en él. Era un tipo bastante corriente... como cualquier otro.

Carter suspiró con aire cansado.

—¡Ésa es la inevitable descripción de mister Brown! La idiosincrasia de un genio. Entró para entregar un mensaje telefónico a Whittington, ¿verdad? ¿Se fijó si había un teléfono en la oficina exterior?

Tuppence meditó unos instantes.

—No, creo que no.

—Exacto. Ese «mensaje» era el medio que mister Brown tenía para dar una orden a su subordinado. Desde luego escucharía toda la conversación. ¿Después Whittington le entregó el dinero y le dijo que volviese al día siguiente?

Tuppence asintió.

—Sí, sin duda es la mano de mister Brown. —Carter hizo una pausa—. Bien, eso es todo. ¿Comprenden contra lo que van a luchar? Posiblemente contra el mejor cerebro criminal de esta época. Y no me agrada demasiado. Son ustedes muy jóvenes. No quisiera que les ocurriese nada malo.

—No nos ocurrirá nada —le aseguró Tuppence.

—Yo cuidaré de ella, señor —dijo Tommy.

—Y *yo* de ti —replicó Tuppence, resentida por el aire de superioridad.

—Bien, entonces que cada uno cuide del otro —dijo Carter, sonriendo—. Ahora volvamos al asunto. Hay algo misterioso en este tratado que todavía no hemos podido descubrir. Hemos sido amenazados con él... en términos claros e inconfundibles. Los elementos revolucionarios declaran que está en sus manos y que pueden exhibirlo en un momento dado. Por otro lado, se equivocan con respecto a muchas de sus cláusulas. El gobierno considera que ha sido una baladronada por su parte y, acertada o equivocadamente, ha mantenido la política de negarlo todo. No estoy seguro. Ha habido filtraciones, indiscreciones, alusiones que parecen indicar que la amenaza es verdadera. Nos da la impresión de que han conseguido el documento, pero que no pueden leerlo por estar cifrado... aunque nosotros sabemos que no lo estaba... no sería posible en esta clase de cosas... de modo que esto no cuenta. Pero hay algo. Claro que Jane Finn puede haber muerto... pero yo no lo creo. Lo curioso del caso es que *intentan obtener noticias de la muchacha a través de nosotros*.

—¿Qué?

—Sí. Han surgido un par de cosillas. Y su historia, señorita, confirma mi idea. Saben que andamos buscando a Jane Finn. Pues bien, ellos nos proporcionan una Jane Finn de su propiedad... pongamos en un *pensionnat* de París. —Tuppence dejó escapar un gemido y Carter sonrió—. Nadie sabe cómo es, de modo que no es difícil. Le cuentan cualquier historia, y su verdadera misión es conseguir toda la información que le sea posible de nosotros. ¿Comprende la idea?

—¿Entonces usted cree... —Tuppence se detuvo para exponer su opinión, una vez bien comprendida—... que querían que yo viajara a París *como si fuera* Jane Finn?

La sonrisa de Carter demostró más que nunca su cansancio.

—Creo en las coincidencias —dijo.

Capítulo V

MISTER JULIUS P. HERSHEIMMER

Bueno —dijo Tuppence recobrándose—, la verdad es que parece como si estuviese escrito.

Carter asintió.

—Sé lo que quiere decir. Yo también soy supersticioso. Confío en la suerte y toda esa clase de cosas. El destino parece haberla escogido para mezclarla en esto.

Tommy se permitió una risita.

—¡Rayos! ¡No me extraña que Whittington levantara el vuelo cuando Tuppence pronunció ese nombre! Yo hubiera hecho lo mismo. Pero escuche, le estamos entreteniendo mucho. ¿Nos dará alguna pista antes de marcharnos?

—Creo que no. Mis expertos, que trabajan con sistemas clásicos, fracasaron. Ustedes aportarán a esta empresa su imaginación y una mentalidad abierta. No se desanimen si eso tampoco les conduce al éxito. En primer lugar, es muy probable que los hayamos asustado.

Tuppence frunció el ceño al no comprenderle.

—Cuando usted sostuvo su entrevista con Whittington tenía tiempo por delante. Tengo noticias de que el gran *coup* lo han planeado para principios de año. Pero el gobierno estudia una acción legislativa que impedirá la amenaza de huelga. Ellos lo comprenderán en seguida, si es que ya no se han dado cuenta; es posible que se precipiten las cosas. Yo espero que así sea. Cuanto menos tiempo tengan para madurar sus planes, mejor.

Sólo tengo que advertirles que no tienen mucho tiempo por delante y que no deben desanimarse si fracasan. De todas formas, no les propongo nada fácil. Eso es todo.

Tuppence se puso en pie.

—Creo que es hora de entrar en detalles concretos. ¿Hasta dónde podemos contar con usted, exactamente, mister Carter?

Carter frunció los labios, pero repuso concisamente:

—Les proporcionaré dinero... dentro de un límite razonable, claro, información detallada sobre todos los puntos, y no los reconoceré oficialmente. Quiero decir que, si tienen complicaciones con la policía, no podré ayudarlos oficialmente. Ustedes trabajan por su cuenta y riesgo.

—Lo comprendo muy bien —asintió Tuppence—. Le haré una lista de las cosas que deseo saber cuando haya tenido tiempo de pensar. Ahora... en cuanto al dinero...

—Sí, miss Tuppence. ¿Desea decirme cuánto quiere?

—No es eso. De momento tenemos bastante, pero cuando necesitemos más...

—Estará a su disposición.

—Sí, pero... no quiero ser descortés con el gobierno si usted tiene que ver con él, pero ya sabe el tiempo que se necesita para conseguir sacarle alguna cosa. Y si tenemos que llenar un impreso azul, enviarlo, y luego, al cabo de tres meses, ellos nos envían uno verde, y así sucesivamente... bien, no va a sernos de gran ayuda.

Carter se rió de buena gana.

—No se preocupe, miss Tuppence. Usted me envía una petición personal aquí, y el dinero, en efectivo, se le enviará a vuelta de correo. Y en cuanto al sueldo... ¿pongamos trescientos al año? Y desde luego, otro tanto para mister Beresford.

Tuppence sonrió encantada.

—Estupendo. Es usted muy amable. ¡Me encanta el dinero! Le llevaré la cuenta detallada de todos nuestros gastos... el debe, el haber, el saldo en el lado que corresponde y una línea roja a los lados con los totales. Sé hacerlo cuando me lo propongo.

—Estoy seguro de ello. Bien, adiós y buena suerte.

Les estrechó la mano y, a los pocos minutos, descendían el tramo de escalones del número 27 de Carshalton Terrace mientras la cabeza les daba vueltas.

—¡Tommy! Dime en seguida quién es «mister Carter».

El muchacho murmuró un nombre a su oído.

—¡Ah! —exclamó Tuppence impresionada.

—Te aseguro que es estupendo.

—¡Ah! —volvió a exclamar la joven antes de agregar en tono reflexivo—: Me gusta, ¿a ti no? Parece muy cansado y al mismo tiempo da la impresión de que interiormente es como el acero, penetrante y muy inteligente. ¡Oh! —Pegó un brinco—. ¡Pellízcame, Tommy, pellízcame! ¡No puedo creer que sea verdad!

Beresford la obedeció.

—¡Ay! ¡Ya basta! Sí, no estamos soñando. ¡Y tenemos un empleo!

—¡Y qué empleo...! La aventura ha comenzado de verdad.

—Y es más respetable de lo que yo pensaba —dijo Tuppence pensativa.

—¡Por suerte yo no tengo tu afición a lo criminal! ¿Qué hora es? Vamos a comer... ¿eh?

El mismo pensamiento acudió a sus mentes. Tommy fue el primero en traducirlo en palabras.

—¡Julius P. Hersheimmer!

—No le hemos dicho nada de él a mister Carter.

—Bueno, no hay mucho que contar... por lo menos hasta que le hayamos visto. Vamos, tomemos un taxi.

—Ahora, ¿quién es el extravagante?

—Recuerda que tenemos todos los gastos pagados. Sube.

—De todas maneras causaremos mejor impresión llegando en taxi —dijo Tuppence recostándose en el respaldo del asiento—. ¡Estoy segura de que los chantajistas nunca viajan en autobús!

—Nosotros hemos dejado de serlo —le recordó Tommy.

—No estoy segura —dijo Tuppence en tono sombrío.

Al preguntar por mister Hersheimmer, fueron acompañados en seguida a su *suite*. Una voz impaciente exclamó: «Adelante», respondiendo a la llamada del botones, que se hizo a un lado para dejarles pasar.

Julius P. Hersheimmer era muchísimo más joven de lo que Tommy o Tuppence pudieron imaginar. La muchacha le calculó unos treinta y cinco años. Era de mediana estatura y de espaldas cuadradas que hacían juego con su mandíbula. Su rostro retador resultaba agradable. Todo el mundo lo hubiera tomado por norteamericano, aunque hablaba con poquísimo acento.

—Veo que recibieron mi nota. Siéntense y díganme todo lo que sepan de mi prima.

—¿Su prima?

—Sí. Jane Finn.

—¿Es su prima?

—Mi padre y su madre eran hermanos —explicó Hersheimmer.

—¡Oh! —exclamó Tuppence—. ¿Entonces usted sabe dónde está?

—¡No! —Hersheimmer golpeó la mesa con el puño—. ¡Qué me aspen si lo sé! ¿Y ustedes?

—Nosotros pusimos el anuncio para obtener información, no para darla —replicó Tuppence con gran severidad.

—Ya lo sé. ¿Acaso cree que no sé leer? Pero creí que tal vez conocieran su paradero actual y sólo les interesaran sus antecedentes.

—Bueno, no nos importaría oír su historia —dijo Tuppence.

Pero Hersheimmer pareció sentirse receloso de pronto.

—Oigan —exclamó—, ¡esto no es Sicilia! Nada de exigir rescates ni amenazar con cortarle las orejas a ella si me niego. Éstas son las islas británicas, de modo que déjense de negocios sucios o llamaré a ese enorme policía que acabo de ver en Piccadilly.

—No hemos secuestrado a su prima. Al contrario, queremos encontrarla. Nos han contratado para buscarla.

Hersheimmer se recostó en su butaca.

—Pónganme al corriente —dijo.

Tommy le hizo un resumen bastante limitado de la desaparición de Jane Finn y de la posibilidad de que estuviera envuelta inocentemente en alguna «maniobra política». Dijo que él y Tuppence eran «investigadores privados» encargados de buscarla y agregó que por lo tanto le agradecerían cualquier detalle que pudiera darles.

El caballero movió la cabeza con gesto de aprobación.

—Está bien. Veo que me he precipitado. ¡Pero Londres me saca de mis casillas! Sólo conozco el viejo Nueva York. Hagan las preguntas que gusten y las contestaré.

De momento los jóvenes aventureros quedaron cortados, pero Tuppence se rehízo y se lanzó a la brecha apelando a lo que había aprendido en las novelas policíacas.

—¿Cuándo vio por última vez a la di... quiero decir a su prima?

—Nunca la he visto —respondió Hersheimmer.

—¿Qué? —exclamó Tommy, asombrado.

Hersheimmer se volvió hacia él.

—No, señor. Como ya dije antes, mi padre y su madre eran hermanos, como pueden serlo ustedes... —Tommy no corrigió su opinión acerca de su parentesco—, pero no siempre se llevaron bien. Y cuando mi tía decidió casarse con Amos Finn, que era un pobre maestro de escuela del oeste, mi padre se puso furioso y dijo que si hacía fortuna, como ya iba en camino, ella nunca vería un céntavo. Bueno, el caso es que tía Jane se fue al oeste y nunca volvimos a saber de ella.

»El viejo *hizo* fortuna. Negoció con petróleo, luego con acero... ferrocarriles, y les aseguro que tuvo en vilo a Wall Street. —Hizo una pausa—. Luego murió... —el otoño pasado— y yo entré en posesión de los dólares. Bueno, ¿querrán creerlo? ¡Mi conciencia empezó a darme la lata! No cesaba de remorderme diciéndome. «¿Qué será de tu tía Jane en el oeste?» y me preocupé. ¿Saben? Yo siempre creí que Amos Finn no haría nada bueno en esta vida. Al fin contraté a un hombre para que la buscara. Resultado: ella ha muerto, Amos Finn también, pero dejaron una hija... Jane... que iba en el *Lusitania* camino de París cuando fue torpedeado. Se salvó, pero desde entonces no se ha sabido nada de ella. Pensé que lo mejor era venir aquí y acelerar las cosas. Ante todo telefoneé a Scotland Yard y al Almirantazgo. Los del Almirantazgo casi me mandaron a paseo, pero en Scotland Yard estuvieron muy amables... dijeron que harían averiguaciones. Incluso esta mañana han enviado un hombre a recoger su fotografía. Mañana salgo para París. Quiero ver lo que hace la *Prefecture*. Me figuro que si voy de un lado a otro metiéndoles prisa, tendrán que trabajar.

La vitalidad de Hersheimmer era tremenda y se inclinaron ante ella.

—Pero díganme —concluyó—, ¿no la buscan por haber hecho algo malo? Por desacato a la autoridad, o... algo así tan británico. Una joven norteamericana de espíritu orgulloso pudo encontrar sus leyes y disposiciones en tiempo de guerra, bastante fastidiosas y rebelarse contra ellas. Si se trata de esto, y en este país existe el soborno, yo compraré su libertad.

Tuppence lo tranquilizó.

—Bien. Entonces podemos trabajar juntos. ¿Qué les

parece si comiéramos? ¿Quieren que nos sirvan aquí, o bajamos al restaurante?

Tuppence expresó sus preferencias por esto último y Julius se avino a sus deseos.

Las ostras acababan de dar paso al lenguado Colbert cuando presentaron una tarjeta a Hersheimmer.

—El inspector Japp del CID[1]. Otra vez Scotland Yard. Esta vez es otro hombre. ¿Qué espera que le cuente que no haya dicho ya al primero? Espero que no hayan perdido la fotografía. El estudio del fotógrafo se quemó con todos los negativos... y ésta es la única copia que existe. La conseguí en el colegio.

Un temor indescriptible se apoderó de Tuppence.

—¿No... no sabe usted el nombre del policía que vino esta mañana?

—Sí, creo que sí. No... Espere un segundo. Estaba escrito en su tarjeta. ¡Oh, ya lo sé! Inspector Brown. Era un tipo muy corriente.

1. CID. Criminal Investigation Department. (*N. del T.*)

Capítulo VI

UN PLAN DE CAMPAÑA

Será mejor correr un velo sobre los acontecimientos de la media hora siguiente. Basta decir que en Scotland Yard no se conocía a ningún «Inspector Brown». La fotografía de Jane Finn, que tan valiosa hubiera sido a la policía para dar con su paradero, se había perdido sin esperanza de ser recobrada. Mister Brown había triunfado una vez más.

El efecto inmediato de este contratiempo tuvo como resultado un *rapprochement* entre Julius Hersheimmer y los jóvenes aventureros. Todas las barreras se vinieron abajo con estrépito, y Tommy y Tuppence tuvieron la sensación de que habían conocido al joven norteamericano toda su vida.

Abandonaron su postura de investigadores privados y le contaron toda la historia desde que fundaron la sociedad de aventureros, ante lo cual él se «divirtió horrores». Al concluir la narración, miró a Tuppence.

—Siempre había creído que las muchachas inglesas eran un poco anticuadas. Eso sí, dulces, pero temerosas de dar un paso sin un criado o una dama de compañía. ¡Me figuro que estoy algo pasado de moda!

El resultado final de estas confidencias fue que Tommy y Tuppence fijaron su residencia en el Ritz, según Tuppence, para poder estar en contacto con el único pariente de Jane Finn. «De esta manera», le confió a Tommy, «¡*nadie* podrá quejarse de los gastos!

Y nadie lo hizo, que fue lo bueno.

—Y ahora —dijo la jovencita a la mañana siguiente de haberse instalado—, ¡a trabajar!

Mister Beresford dejó el *Daily Mail* que estaba leyendo para aplaudir con innecesario vigor, y su colega le pidió amablemente que no hiciera el burro.

—No seas tonto, Tommy, *tenemos* que hacer algo para justificar nuestro sueldo.

El muchacho suspiró.

—Sí, me temo que ni siquiera nuestro querido gobierno nos tendría en el Ritz holgazaneando a perpetuidad.

—Por consiguiente, como ya te dije antes, *tenemos* que hacer algo.

—Bien —replicó Tommy volviendo a coger el periódico—, *hazlo*. Yo no te detendré.

—¿Sabes? —continuó Tuppence sin hacerle caso—, he estado pensando...

Se vio interrumpida por nuevos y entusiastas aplausos.

—Es muy propio de ti quedarte ahí sentado haciendo el payaso, Tommy. No te haría daño alguno hacer un poco de ejercicio mental.

—¡Mi sindicato, Tuppence, mi sindicato! No me permite trabajar antes de las once.

—Tommy, ¿quieres que te arroje algo a la cabeza? Es absolutamente necesario que tracemos un plan de campaña sin dilación.

—¡Venga! ¡Venga!

—Bien, manos a la obra.

Por fin, Tommy dejó el periódico.

—En ti hay la sencillez de una gran inteligencia, Tuppence. Suelta lo que sea. Te escucho.

—Para empezar —dijo la aludida—, ¿en qué podemos basarnos?

—Absolutamente en nada —dijo Tommy alegremente.

—¡Te equivocas! —Tuppence le señaló con el índice—. Tenemos dos pistas distintas.

—¿Cuáles son?

—Primera pista: conocemos a uno de la banda.

—¿Whittington?

—Sí. Lo reconocería en cualquier parte.

—¡Hum! —replicó Tommy pensativo—. A mí eso no me parece una pista. No sabes dónde buscarlo y existe una posibilidad contra mil de que lo encuentres por casualidad.

—No estoy tan segura de eso —replicó Tuppence pensativa—. Me he dado cuenta de que, a menudo, una vez empiezan a ocurrir coincidencias, luego se siguen sucediendo del modo más extraordinario. Yo diría que es alguna ley natural que todavía no hemos descubierto. No obstante, como bien dices, no podemos confiar en ello. Pero en Londres existen ciertos sitios por donde, tarde o temprano, pasa la gente. Por ejemplo, Piccadilly Circus. Una de mis ideas consiste en pasarme allí el día con una bandeja de banderitas.

—¿Y cuándo comerás? —preguntó Tommy, siempre práctico.

—¡Qué masculino es eso! ¿Qué importa la comida?

—Eso lo dices ahora porque acabas de tomarte un opíparo desayuno. Nadie tiene mejor apetito que tú, Tuppence y, a la hora del té, te habrías comido las banderitas con alfiler y todo. Pero, con franqueza, no me convence tu idea. Es posible que Whittington ni siquiera esté en Londres.

—Es cierto. De todas formas, creo que la pista número dos es más prometedora.

—Oigámosla.

—No es gran cosa. Sólo un nombre de pila: Rita. Whittington la mencionó aquel día.

—¿Es que te propones publicar un tercer anuncio? «Se busca a una delincuente que atiende por el nombre de Rita».

—No. Lo que me propongo es razonar de una manera lógica. Ese hombre, Danvers, fue seguido, ¿no es cierto? Y es mucho más probable que lo hiciera una mujer que un hombre.

—No veo el porqué.

—Estoy completamente segura de que sería una mujer y además atractiva —replicó Tuppence sin alterarse.

—En estos puntos técnicos acepto tus decisiones —murmuró Beresford.

—Ahora bien, es evidente que esa mujer, sea quien fuere, se salvó.

—¿Cómo lo sabes?

—De no ser así, ¿cómo sabrían que Jane Finn tenía los papeles?

—Correcto. ¡Continúa, Sherlock!

—Existe la posibilidad, admito que sólo es una posibilidad, de que esa mujer fuese «Rita».

—¿Y de ser así?

—De ser así, tendríamos que buscar entre los supervivientes del *Lusitania* hasta dar con ella.

—Entonces lo primero que hay que hacer es conseguir una lista de los supervivientes.

—Ya la tengo. Escribí una larga lista de cosas que deseaba saber y la envié a Carter. Esta mañana he recibido su contestación y, entre otras cosas, me incluye la lista oficial de las personas que se salvaron de la catástrofe del *Lusitania*. ¿Qué te parece tu pequeña Tuppence?

—Diez en diligencia y cero en modestia. Pero el caso es, ¿hay alguna Rita en la lista?

—Eso es lo que no sé —confesó Tuppence.

—¿Qué no sabes?

—No, mira. —Los dos se inclinaron sobre la lista—. ¿Ves? Hay muy pocos nombres de pila. Casi todas son señoras o señorita tal.

Tommy asintió.

—Eso complica el asunto —murmuró pensativo.

Tuppence se sacudió con su característico movimiento perruno.

—Bien, tendremos que poner manos a la obra y averiguarlo. Eso es todo. Empezaremos por el área de Londres. Anota las direcciones de las mujeres que viven en Londres o en los alrededores, mientras yo voy a ponerme el sombrero.

Cinco minutos más tarde, la joven pareja se encontraba en Piccadilly y, pocos segundos después, un taxi los llevaba a *The Laurels*, en el número 7 de Glendower Road, residencia de Mrs. Edgard Keith, cuyo nombre figuraba en primer lugar en la lista de siete nombres escrita en la libreta de Tommy.

The Laurels era una mansión ruinosa separada de la calle por unos pocos arbustos raquíticos que pretendían dar la impresión de jardín. Tommy pagó al taxista y acompañó a Tuppence hasta la puerta. Cuando ella iba a hacer sonar el timbre la contuvo.

—¿Qué vas a decir?

—¿Que qué voy a decir? Pues diré... Ay, no lo sé. Es muy peliagudo.

—Me lo imaginaba —exclamó el muchacho satisfecho—. ¡Eso es muy femenino! ¡No prevéis nada! Ahora apártate y contempla cómo resuelven fácilmente los hombres una situación así.

Hizo sonar el timbre y Tuppence se situó a una distancia conveniente. Les abrió la puerta una criada de aspecto desaliñado, cara sucia y bizca.

Tommy había sacado una libreta y un lápiz.

—Buenos días —dijo en tono vivaz y alegre—. Somos de la Oficina del Distrito de Hampstead. El nuevo registro de votantes. ¿Vive aquí Mrs. Edgar Keith?

—Sí —repuso la sirvienta.

—¿Cuál es su nombre de pila? —preguntó Tommy, blandiendo el lápiz.

—¿De la señora? Eleanor Jane.

—E-le-a-nor —deletreó Tommy—. ¿Tiene algún hijo o hija mayor de veintiún años?

—No.

—Gracias. —Tommy cerró la libreta con gesto rápido—. Buenos días.

La sirvienta se permitió la primera observación.

—Creí que tal vez venía por el gas —observó antes de cerrar la puerta.

Tommy se reunió con su cómplice.

—¿Ves, Tuppence? —comentó—. Esto es cosa de niños para una despierta mentalidad masculina.

—No me importa admitir por una vez que te has desenvuelto maravillosamente. A mí no se me hubiera ocurrido nunca.

—Buen truco, ¿verdad? Y podemos repetirlo *ad líbitum*.

La hora de comer sorprendió a los dos jóvenes devorando un bistec con patatas fritas en una oscura posada. Habían dado con una tal Gladys Mary, una Marjorie, sufrieron una desilusión al ver que una de las de la lista había cambiado de domicilio, y tuvieron que soportar una larga conferencia sobre el voto universal de labios de una señora norteamericana muy habladora, cuyo nombre de pila resultó ser Sadie.

—¡Ah! —dijo Tommy después de tomar un buen trago de cerveza—. Me siento mejor. ¿Cuál es la próxima dirección?

La libreta estaba sobre la mesa. Tuppence lo cogió.

—Ahora le toca el turno a Mrs. Vandemeyer —leyó—, que vive en South Audley Mansions, apartamento 20. Luego a miss Wheeler del número 43 de Clapington Road, Battersea. Si mal no recuerdo es camarera, de modo que probablemente no estará allí y, de todas formas, no creo que sea la que buscamos.

—Entonces la dama de Mayfair, Mrs. Vandemeyer, es nuestro primer puerto de llegada.

—Tommy, empiezo a desanimarme.

—Animo, chica. Ya sabíamos que era una posibilidad muy remota. Y, de todas formas, acabamos de empezar. Si fracasamos en Londres nos queda la perspectiva de un viaje por Inglaterra, Irlanda o Escocia.

—Cierto —repuso Tuppence que sintió renacer su ánimo—. ¡Y con todos los gastos pagados! Pero, oh, Tommy, me gustaría que todo fuera más deprisa. Hasta ahora, las aventuras se han ido sucediendo, pero esta mañana ha sido muy aburrida.

—Debes contener tus ansias de sensaciones vulgares, Tuppence. Recuerda que si mister Brown es tal como lo han pintado, es un milagro que no esté aquí ya para hacernos pasar a mejor vida. Vaya, me ha salido una buena frase, con tono literario y todo.

—La verdad es que eres mucho más pretencioso que yo... y con menos motivos. ¡Ejem! Pero desde luego es extraño que mister Brown no haya descargado aún su cólera sobre nosotros (ya ves, yo también sé hacer frases) y podamos continuar nuestro camino.

—Tal vez considere que no vale la pena preocuparse por nosotros —sugirió Tommy con sencillez.

Tuppence recibió la frase con disgusto.

—Qué agradable eres, Tommy. Como si nosotros no tuviéramos importancia.

—Lo siento, Tuppence. Lo que he querido decir es que nosotros trabajamos en la oscuridad y que él no sospecha de nuestros maliciosos planes. ¡Ja, ja!

—¡Ja, ja! —repitió Tuppence como un eco en tono de aprobación mientras se ponía en pie.

South Audley Mansions era un imponente bloque de apartamentos situado cerca de Park Lane. El número veinte estaba en la segunda planta.

Tommy ya había adquirido cierta práctica, y lanzó el formulario de preguntas a la anciana que le abrió la puerta que más parecía un ama de llaves que una sirvienta.

—¿Cuál es su nombre de pila?

—Margaret.

Tommy comenzó a deletrearlo, pero la anciana le interrumpió.

—No, *g-u-e*.

—Oh, Marguerite; ya, como en francés. —Hizo una pausa, y después se arriesgó—: Nosotros la teníamos inscrita como Rita Vandemeyer, pero supongo que era un error.

—Casi siempre la llamo así, pero su nombre es Marguerite.

—Gracias. Eso es todo. Buenos días.

Incapaz de contener su excitación, Tommy corrió hacia la escalera. Tuppence le esperaba en el rellano.

—¿Has oído?

—Sí. *¡Oh, Tommy!*

—Lo sé, pequeña. —Le apretó el brazo, comprensivo—. Yo siento lo mismo.

—Es... tan bonito pensar las cosas... y que luego ocurran realmente —exclamó Tuppence entusiasmada.

Bajaron tomados de la mano. Habían llegado a la planta baja. En la escalera se oían voces y rumor de pasos. De pronto, ante la sorpresa de Tommy, Tuppence le arrastró a un hueco en sombras al lado del ascensor.

—¿Qué...?

—¡Silencio!

Dos hombres bajaron la escalera y salieron a la calle. Tuppence se asió con fuerza al brazo de Tommy.

—Deprisa... síguelos. Yo no me atrevo. Pudiera reconocerme. No sé quién será el otro, pero el más grueso de los dos es Whittington.

Capítulo VII

LA CASA DEL SOHO

Whittington y su acompañante caminaban a buen paso. Tommy emprendió la persecución en el acto y llegó a tiempo de verlos doblar la esquina de la calle. Sus largas piernas le permitieron alcanzarlos y, cuando él llegó a la esquina, había acortado considerablemente la distancia que lo separaba de ellos. Las callejuelas de Mayfair estaban relativamente desiertas, y consideró prudente contentarse con vigilarlos de lejos.

Aquel pasatiempo era nuevo para él. Aunque conocía la técnica gracias a la lectura de novelas policíacas, nunca había intentado «seguir» a nadie, y llevarlo a la práctica le pareció un procedimiento sembrado de dificultades. Supongamos, por ejemplo, que de pronto tomaran un taxi... En las novelas, uno se limita a llamar a otro, prometiendo una propina al taxista... y todo solucionado. Pero en realidad, Tommy temía no encontrarlo tan a mano, en cuyo caso tendría que correr. ¿Y qué papel haría en la actualidad un joven corriendo desesperadamente por las calles de Londres? En una calle principal podría dar la impresión de que corría para coger el autobús, pero en aquellas aristocráticas y solitarias calles, era de esperar que le detuviera cualquier policía para pedirle explicaciones.

Cuando había llegado a aquel punto de sus medita-

ciones vio aparecer un taxi libre y contuvo su aliento.
¿Lo tomarían?

Exhaló un suspiro de alivio al ver que lo dejaban
pasar sin detenerlo. El camino que llevaban era el más
corto para llegar a Oxford Street. Cuando al fin llegaron, emprendieron la dirección este y Tommy apuró el
paso. Poco a poco se acercó a ellos. En aquella acera
tan concurrida no era de esperar que llamara la atención, y estaba ansioso de poder pescar alguna palabra
de lo que hablaban. En esto fracasó rotundamente:
conversaban en tono tan bajo que el ruido del tránsito
ahogaba las voces que tanto le interesaban.

Antes de llegar a la estación de metro de Bond Street, atravesaron la calzada y entraron en *Lyons,* segui-
dos siempre por Tommy. Subieron al primer piso y se
instalaron en una mesa junto a la ventana. Era tarde y
el local empezaba a quedar vacío. Tommy ocupó la
mesa más próxima a ellos, pero se sentó detrás de
Whittington por temor a que le reconociera.

En cambio, veía muy bien al otro hombre y le observó con atención. Era rubio, con un rostro pálido y muy
desagradable. Tommy lo clasificó como polaco o ruso.
Rondaba la cincuentena, inclinaba algo los hombros al
hablar y sus ojos, pequeños y astutos, se movían continuamente.

Puesto que ya había comido a gusto, Tommy se con-
tentó con pedir *rarebit galés*[1] y una taza de café. Whittington pidió una comida sustanciosa para él y su
acompañante; luego, cuando la camarera se hubo ale-
jado, acercó la silla un poco más a la mesa y comenzó
a hablar en voz baja. El otro se sumó a la conversación.
Tommy sólo conseguía pillar alguna palabra suelta; al
parecer, eran instrucciones u órdenes, que su compañero discutía de vez en cuando. Whittington se dirigía
a él, llamándole Boris.

---

1. Tostada con queso fundido y desleído en cerveza. (*N. del T.*)

Tommy pescó la palabra «Irlanda» varias veces, y también «propaganda». Pero no mencionaron a Jane Finn. De pronto, en un momento en que cesó el ruido de la estancia, captó una frase entera. Whittington era quien hablaba.

—Ah, pero no conoces a Flossie. Es maravillosa. Haría jurar a un obispo que es su propia madre. Siempre tiene la frase oportuna y eso es lo principal.

Tommy no pudo oír la respuesta de Boris, pero dijo algo que sonó como: «Desde luego... sólo en caso de necesidad...» Luego volvió a perder el hilo. De pronto las frases volvieron a hacerse perceptibles. Bien porque hubieran alzado la voz, o porque el oído de Tommy se iba aguzando... no sabría decirlo. Pero dos palabras tuvieron un efecto estimulante en el que escuchaba. Las pronunció Boris y fueron: «mister Brown».

Whittington pareció poner algún reparo, pero el otro se echó a reír.

—¿Por qué no, amigo mío? Es un nombre respetable... y muy corriente. ¿No lo escogió por esta razón? Ah, cómo me gustaría conocerlo.

Hubo un tono acerado en la voz de Whittington al replicar:

—¡Quién sabe, a lo mejor ya lo conoces!

—¡Bah! —repuso el otro—. Esto es un cuento de niños... una fábula inventada para engañar a la policía. ¿Sabes lo que yo digo algunas veces? Que es un mito inventado por los del círculo interior para asustarnos. Bien pudiera ser.

—O tal vez no.

—Me pregunto... ¿será o no cierto que está entre nosotros como uno más, desconocido por todos, excepto por unos cuantos escogidos? Si es así, guarda bien su secreto. Y la idea es buena, vaya si lo es. Nosotros nunca lo sabremos. Nos miramos unos a otros... *uno de nosotros es mister Brown*... ¿quién? Él ordena... pero también obedece. Está entre nosotros... y nadie sabe quién es...

Con un esfuerzo, el ruso se liberó de sus elucubraciones. Miró el reloj.

—Sí —dijo Whittington—, será mejor que nos marchemos.

Llamó a la camarera para pedir la cuenta. Tommy hizo lo propio y, pocos segundos después, seguía a los dos hombres por la escalera.

Una vez en el exterior, Whittington detuvo un taxi e indicó al conductor que los llevara a la estación de Waterloo.

Allí abundaban los taxis y, antes que arrancara el de Whittington, otro se detenía junto a la acera obedeciendo a un ademán perentorio de Tommy.

—Siga a ese taxi —ordenó al conductor—. Y no lo pierda de vista.

El taxista no demostró el menor interés. Se limitó a lanzar un gruñido al bajar la bandera. El viaje no tuvo contratiempo. El taxi de Tommy se detuvo inmediatamente después del de Whittington, y el joven se colocó tras él ante la taquilla, y le oyó pedir un billete de ida en primera clase para Bournemouth. Tommy adquirió otro para el mismo destino. Al apartarse de la ventanilla, Boris comentó, mirando al reloj:

—Tienes tiempo de sobra. Falta media hora.

Las palabras de Boris despertaron una nueva serie de ideas en la mente de Tommy. Por lo oído, Whittington iba a realizar el viaje solo, mientras el otro se quedaba en Londres... tenía que escoger a cuál de los dos seguir. No era posible seguir a los dos... a menos que... Miró el reloj igual que hiciera Boris, y luego al tablero donde se anunciaban las salidas de los trenes. El de Bournemouth salía a las tres treinta y eran sólo las tres y diez. Whittington y Boris paseaban junto al quiosco de periódicos.

Tras dirigirles una mirada vacilante, Tommy corrió a meterse en una cabina telefónica. No se atrevió a perder tiempo tratando de comunicar con Tuppence. Lo más probable era que siguiera en las proximidades de South Audley Mansions, pero todavía le quedaba otro aliado. Telefoneó al Ritz y preguntó por Julius Hersheimmer. ¡Oh, si por lo menos el joven norteamericano estuviera en su habitación! Se oyó un zumbido y al fin un: «Diga» de acento inconfundible llegó hasta su oído.

—¿Es usted, Hersheimmer? Le habla Beresford. Estoy en la estación de Waterloo. He seguido hasta aquí a Whittington y otro hombre. No tengo tiempo para explicaciones. Whittington va a tomar el tren de las tres treinta para Bournemouth. ¿Puede llegar antes de esa hora?

La respuesta fue tranquilizadora.

—Desde luego. Me daré prisa.

Oyó cortar la comunicación, y exhaló un suspiro de alivio. Julius conocía el valor de la velocidad y llegaría a tiempo.

Whittington y Boris seguían en el mismo lugar en que los dejara. Si Boris se quedaba hasta que su amigo subiera al tren, todo iría bien. Tommy registró su bolsillo pensativo. A pesar de tener *carte blanche* para los gastos, aún no se había acostumbrado a llevar encima mucho dinero, y la adquisición del billete de primera clase para Bounemouth le había dejado sólo unos pocos chelines. Era de esperar que Julius llegara bien provisto.

Entretanto los minutos iban transcurriendo: las tres quince, las tres veinte, las tres veinticinco, las tres veintisiete. ¿Y si Julius no llegaba a tiempo? Las tres veintinueve... Comenzaban a cerrar las puertas. Tommy sintió que le invadía el pesimismo. Luego una mano se posó en su hombro.

—Aquí estoy, muchacho. ¡El tránsito inglés está más allá de todo calificativo! Indíqueme en seguida a esos individuos.

—Ése es Whittington... allí, el que entra ahora vestido de oscuro. El otro es el extranjero que habla con él.

—A por ellos. ¿A cuál de los dos he de seguir?

Tommy había previsto esta pregunta.

—¿Lleva dinero encima?

Julius meneó la cabeza y Tommy se sintió desfallecer.

—Me parece que no llevaré encima en estos momentos más que tres o cuatrocientos dólares —explicó el norteamericano.

Tommy respiró aliviado.

—¡Oh, cielos, estos millonarios! ¡No hablamos el mismo lenguaje! Suba al tren. Aquí está su billete, Whittington es su hombre.

—¡A por Whittington! —dijo Julius en tono sombrío. El tren comenzaba a ponerse en movimiento y subió de un salto—. Hasta la vista, Tommy.

El tren se alejó de la estación.

Tommy respiró profundamente. Boris venía por el andén hacia donde él estaba. Lo dejó pasar y luego reemprendió la persecución. Desde Waterloo, Boris tomó el metro hasta Piccadilly Circus. Luego fue andando por Shaftesbury Avenue hasta penetrar en el laberinto de callejuelas del Soho. Tommy lo siguió a una distancia prudencial.

Al fin llegaron a una plaza ruinosa. Las casas tenían un aire siniestro, debido a la mugre y a la decadencia. Boris miró a su alrededor y Tommy se refugió en un portal. El lugar estaba casi desierto. Era un callejón sin salida y, por consiguiente, no pasaba ningún vehículo. El modo en que el otro había mirado a su alrededor estimuló la imaginación de Tommy. Desde el abrigo del portal le vio subir el tramo de escalones de una casa de pésimo aspecto, y golpear la puerta con los nudillos produciendo un ritmo peculiar. Ésta se abrió en el acto y, tras decir una o dos palabras al guardián, penetró en el interior. La puerta volvió a cerrarse.

Fue en este momento cuando Tommy perdió la cabeza. Lo que debiera haber hecho, lo que hubiera hecho cualquier hombre sensato, era permanecer pacientemente donde estaba y esperar a que volviera a salir su hombre. Pero lo que hizo iba en contra del sentido común, que por lo general, era su principal característica. Algo había paralizado su cerebro y, sin detenerse a reflexionar ni un momento, él también subió aquellos escalones y reprodujo con toda la exactitud que le fue posible la llamada particular.

La puerta se abrió con la misma prontitud de antes, y un hombre con rostro de villano y el pelo cortado casi al rape apareció en la entrada.

—¿Qué desea? —gruñó.

En aquel momento empezó a darse cuenta de su gran tontería, pero no se atrevió a vacilar, y pronunció las primeras palabras que se le ocurrieron.

—¿Mister Brown?

Ante su sorpresa el hombre se hizo a un lado.

—Arriba —dijo, señalando por encima del hombro con el pulgar—. La segunda puerta a la izquierda.

Capítulo VIII

LAS AVENTURAS DE TOMMY

A pesar de la sorpresa que le causaron las palabras de aquel hombre, Tommy no vaciló. Si la audacia le había llevado hasta allí, era de esperar que le llevara aún más adelante. Con toda tranquilidad penetró en la casa y se dirigió a la desvencijada escalera. La casa estaba más ruinosa de lo que puede expresarse con palabras. El papel de las paredes, cuyo dibujo ya no se distinguía a causa de la mugre, colgaba por todas partes hecho tiras. En cada rincón había una masa gris de telarañas.

Tommy subió lentamente y, cuando llegó al rellano, oyó que el hombre de abajo desaparecía en el cuarto posterior. Era evidente que aún no había despertado sospechas. Al parecer, el preguntar por mister Brown era lo corriente y natural.

Una vez arriba, Tommy meditó cuál debía ser su actuación inmediata. Ante él, se extendía un estrecho pasillo con puertas a ambos lados. De la que estaba más próxima a él, la del lado izquierdo, salía un murmullo de voces. Era allí donde el hombre de la puerta le indicó que entrase. Pero lo que fascinaba su mirada era un hueco que había a la derecha, semioculto por una cortina de terciopelo desgarrada. Estaba directamente enfrente de la puerta de la izquierda y, debido al ángulo, también permitía ver la parte superior de la escalera.

Como escondite para un hombre o dos apretujados, era ideal, ya que medía unos sesenta centímetros de profundidad por noventa de ancho. A simple vista le atrajo. Lo pensó con cuidado como era su costumbre; supuso que la sola mención de «mister Brown» era la contraseña utilizada por la banda. Su afortunado comienzo le había permitido entrar sin despertar sospechas, pero ahora debía decidir ya cuál sería su actuación inmediata.

Supongamos que entrase con osadía en la habitación. ¿Sería suficiente garantía el haber sido admitido en la casa? Quizá se precisara otra contraseña, o por lo menos alguna prueba de identidad. Sin duda el portero no conocería a todos los miembros de la banda, pero arriba tal vez fuese distinto. En conjunto, la suerte le había ayudado mucho hasta el presente, pero era arriesgado confiar en ella demasiado. El entrar en la habitación suponía un riesgo colosal. No iba a poder representar la farsa indefinidamente: tarde o temprano lo descubrirían, lo cual significaba haber desperdiciado una ocasión única.

Se repitió la llamada en la puerta de abajo y Tommy, decidido, se deslizó rápidamente en el hueco y corrió un poco más la cortina para quedar bien oculto; a través de los agujeros y descosidos de la tela veía muy bien. Aguardaría allí nuevos acontecimientos y, cuando le conviniera, podría tomar parte en la reunión, imitando el comportamiento del recién llegado.

El hombre que subió la escalera con paso furtivo le era desconocido. Sin duda alguna, pertenecía a la escoria de la sociedad. Sus cejas espesas y juntas, su mandíbula criminal y la bestialidad que respiraba toda su persona eran nuevas para Tommy, aunque era un tipo que Scotland Yard hubiera reconocido con sólo una ojeada.

El hombre pasó ante el escondrijo de Tommy respirando trabajosamente, se detuvo ante la puerta de enfrente y repitió la llamada convenida, una voz gritó algo desde dentro y el hombre abrió la puerta, permitiendo a Tommy contemplar un instante su interior. Le pareció ver unas cuatro o cinco personas sentadas alrededor de una mesa larga que ocupaba casi todo el espacio, pero su atención la acaparó un hombre alto de cabellos cortos y espesos, y barba puntiaguda, al estilo marinero, que se hallaba en la cabecera con un montón de papeles ante él.

Cuando entró el recién llegado, alzó los ojos y, con una pronunciación correcta, pero muy curiosa, que chocó a Tommy, le preguntó:

—¿Tu número, camarada?

—El catorce, jefe —replicó el otro con voz ronca.

—Correcto.

La puerta volvió a cerrarse.

«¡Que me aspen si ese tipo no es alemán!» dijo Tommy para sus adentros. «Y lo hacen todo sistemáticamente... como hacen siempre. Por suerte no he entrado. Les hubiera dado mal el número y habría tenido que pagar las consecuencias. No, éste es el mejor sitio para mí. ¡Vaya! Llaman otra vez».

El visitante resultó ser un tipo completamente distinto del anterior. Tommy reconoció en él a un irlandés del Sinn Fein[1]. Desde luego, la organización de mister Brown era de largo alcance. El criminal vulgar, el caballero irlandés de buena familia, el ruso pálido y el eficiente maestro alemán de ceremonias. ¡Qué reunión más extraña y siniestra! ¿Quién era aquel hombre que tenía en sus manos aquella curiosa diversidad de eslabones de una cadena desconocida? El procedimiento fue exactamente igual en todos los casos. La llamada peculiar, la demanda del número y la respuesta: «Correcto».

---

1. En gaélico: «nosotros solos». Movimiento nacionalista republicano irlandés del siglo XX. (*N. del T.*)

Dos nuevos miembros llegaron separados por un par de minutos. El primero le era completamente desconocido y lo clasificó como un funcionario. Era un hombre de aspecto tranquilo e inteligente que iba vestido con poco esmero. El segundo pertenecía a la clase obrera, y su rostro le pareció familiar.

Tres minutos más tarde llegó otro: un hombre de aspecto imponente, muy bien vestido y de buena cuna. Su rostro tampoco le era del todo desconocido, aunque de momento no supo identificarlo.

Después de su llegada, hubo una larga pausa. Tommy sacó la conclusión de que la reunión estaba ya completa. Iba a salir de su escondite, cuando otra llamada le hizo volver a refugiarse a toda prisa.

El que acababa de llegar subió la escalera tan silenciosamente que llegó ante Tommy, antes de que el joven se percatara de su presencia. Era de corta estatura, muy pálido y con un aire gentil, casi femenino. El ángulo de sus pómulos denotaba su ascendencia eslava, pero aparte de esto nada hacía adivinar su nacionalidad. Al pasar ante la cortina volvió lentamente la cabeza. La extraña luz de sus ojos parecía atravesar las cosas, y Tommy apenas pudo creer que ignorara su presencia; a pesar suyo se estremeció. No era más imaginativo que cualquier otro joven inglés, pero no le fue posible librarse de la impresión de que una fuerza potente y desacostumbrada emanaba de aquel hombre, que le recordó una serpiente venenosa.

Un instante después vio que su impresión había sido acertada. El recién llegado llamó a la puerta como todos, pero el recibimiento que le dispensaron fue muy distinto.

El hombre de la barba se puso en pie, y los demás le imitaron. El alemán se adelantó para estrecharle la mano dando un fuerte taconazo.

—Nos sentimos muy honrados —le dijo—. Honradísimos. Temía que fuera imposible.

El otro respondió en voz baja y un tanto sibilante:

—Tuve dificultades. Me temo que no será posible otra vez. Pero es esencial una reunión... para explicar mi política. No podría hacer nada sin... mister Brown. ¿Está aquí?

El cambio en la actitud del alemás se hizo visible en el momento de contestar.

—Hemos recibido un mensaje. Le es imposible venir personalmente. —Se detuvo dando la impresión de haber dejado la frase sin terminar.

Con una sonrisa el otro contempló los rostros inquietos.

—¡Ah! Comprendo. He leído cuáles son sus métodos. Trabaja en la sombra y no confía en nadie. Pero de todas formas, es posible que ahora se halle entre nosotros...

Volvió a mirar a su alrededor y de nuevo el grupo reflejó una expresión temerosa. Cada uno de ellos parecía contemplar a su vecino con recelo.

El ruso se acarició la mejilla.

—Si no está, no está. Comencemos la reunión.

El alemán pareció recobrarse y le indicó el lugar que ocupara hasta entonces a la cabecera de la mesa. El ruso quiso negarse, pero el otro insistió.

—Es el único lugar posible —le dijo— para el número uno. ¿El numero catorce querría cerrar la puerta?

Al instante siguiente, Tommy volvió a contemplar la puerta de madera, y las voces procedentes del interior se convirtieron en un murmullo imperceptible. Tommy comenzó a impacientarse. La conversación había despertado su curiosidad y, de un modo u otro, tenía que seguir escuchando.

Abajo no se oía ruido alguno y no le pareció probable que subiera el guardián que estaba apostado en la puerta. Después de escuchar con suma atención durante un par de minutos, asomó la cabeza por la cortina. El pasillo estaba desierto. Tommy se quitó los zapatos y, dejándolos detrás de la cortina, anduvo de puntillas hasta la puerta cerrada, ante la que se arrodilló para aplicar el oído a la cerradura.

Comprobó que no conseguía oír gran cosa: sólo una palabra suelta de vez en cuando, si alguien alzaba la voz, lo cual sirvió únicamente para aumentar su curiosidad.

Contempló el pomo de la puerta. ¿Sería posible hacerlo girar gradualmente, sin qué los de dentro lo notaran?

Tal vez con sumo cuidado... Muy despacio, milímetro a milímetro, lo fue haciendo girar conteniendo el aliento. Un poco más... un poquitín más... ¿Es que no iba a terminar nunca? ¡Ah! Al fin no pudo hacerlo girar más.

Esperó un par de minutos para tomar aliento y empujó la puerta ligeramente hacia delante, pero ésta no se movió, Tommy estaba impaciente. Si tenía que emplear mucha fuerza, era casi seguro que crujiría. Esperó a que las voces se alzaran algo más, y volvió a intentarlo aumentando la presión. ¿Se habría encallado la muy condenada? Al final, desesperado, empujó con todas sus fuerzas. Pero la puerta permaneció firme, haciéndole comprender la verdad. Estaba cerrada con llave o habían echado el pestillo por dentro.

Por un momento se dejó llevar por su indignación.

«¡Maldita sea! ¡Vaya truco sucio!»

Una vez se hubo apaciguado, se dispuso a hacer frente a la situación. Evidentemente, lo primero que debía hacer era volver el pomo a su posición inicial. Si lo soltaba de golpe, los de dentro habrían de notarlo y, por ello, con infinitas precauciones, realizó de nuevo el trabajo, aunque esta vez a la inversa. Todo fue bien, y con un suspiro de alivio se puso en pie. Su tenacidad, propia de un *bulldog*, le hacía resistirse a admitir la derrota. Aunque chasqueado de momento, estaba lejos de sentirse dispuesto a abandonar la lucha. Continuaba deseando oír lo que se decía en la habitación, y puesto que su plan había fracasado, buscaría otro.

Miró a su alrededor. Un poco más abajo, a la izquierda del pasillo, había otra puerta y se dirigió a ella sin hacer ruido. Estuvo escuchando un momento y luego tanteó el pomo. Éste cedió, permitiéndole deslizarse en su interior.

La habitación, que estaba desocupada, era un dormitorio, y como todo lo de aquella casa, el mobiliario se caía a pedazos; el polvo abundaba en todas partes. Pero lo que interesó a Tommy fue lo que había esperado encontrar: una puerta de comunicación entre las dos habitaciones. Cerró cuidadosamente la puerta del pasillo y se acercó a examinar la otra. Tenía corrido el pestillo que, por el aspecto, era obvio que no había sido utilizado en muchos años.

Tiró con prudencia y al fin consiguió descorrerlo sin hacer demasiado ruido. Luego repitió la maniobra con el picaporte. La puerta se abrió... muy poco... pero lo suficiente para que Tommy oyera lo que hablaban. Al otro lado de la puerta había una cortina de terciopelo que impedía la visión, pero fue capaz de reconocer las voces con bastante exactitud.

El que hablaba era el hombre del Sinn Fein. La fuerte voz irlandesa era inconfundible.

—Todo eso está muy bien, pero es esencial tener más dinero. ¡Sin dinero... no hay resultados!

—¿Garantizas que *habrá* resultados?

Otra voz, que Tommy adjudicó a Boris, explicó:

—Dentro de un mes, a partir de este momento, o antes si queréis... o después, os garantizo un reinado de terror en Irlanda capaz de sacudir el imperio británico hasta sus cimientos.

Hubo una pausa y luego se oyó la voz suave y sibilante del número uno.

—¡Bien! Tendrás el dinero. Boris; tú cuidarás de ello.

—¿Por medio de los irlandeses de Estados Unidos y mister Potter, como de costumbre?

—¡Creo que será lo mejor! —dijo una voz nueva con acento americano—. Aunque quiero señalar que las cosas se están poniendo algo difíciles. Ya no hay la simpatía de antes, y sí una disposición creciente a dejar que los irlandeses solucionen sus asuntos sin la intervención de Estados Unidos.

Tommy comprendió que Boris se habría encogido de hombros al responder:

—¿Y eso qué importa, cuando el dinero sólo viene de Estados Unidos nominalmente?

—La dificultad principal es el desembarco de las municiones —dijo el irlandés—. El dinero nos llega sin problemas ... gracias a nuestro colega aquí presente.

Otra voz, que Tommy imaginó sería la del hombre alto de aspecto imponente, cuyo rostro le había sido familiar, dijo:

—¡Piensa en el efecto que eso causaría en Belfast! ¡Si pudieran oírte!

—Entonces queda acordado —dijo la voz sibilante—. Ahora, del asunto del préstamo a un periódico inglés, ¿has arreglado satisfactoriamente los detalles, Boris?

—Creo que sí.

—Bien. De ser necesario, Moscú lo negará oficialmente.

Hubo una pausa y después la voz del alemán rompió el silencio.

—Tengo instrucciones de... mister Brown, para presentarles los resúmenes de los informes de las distintas uniones. La de los mineros es muy satisfactoria. Tenemos que retener a los ferroviarios. Puede que nos den trabajo otras asociaciones.

Durante un largo intervalo reinó el silencio, roto sólo por el crujido de los papeles y alguna palabra ocasional y explicatoria del alemán. Luego Tommy oyó el ligero tabaleo de unos dedos sobre la mesa.

—¿Y... la fecha, amigo mío? —dijo el número uno.

—El veintinueve.

El ruso pareció reflexionar.

—Es demasiado pronto.

—Lo sé. Pero ha sido acordada por los principales dirigentes laboristas y no podemos contrariarlos demasiado. Deben creer que es cosa enteramente suya.

El ruso se rió, como si algo le hubiera parecido gracioso.

—Sí, sí. Es cierto —contestó—. No deben tener la menor sospecha de que los utilizamos para nuestros propios fines. Son hombres honrados... y ése es el valor que tienen para nosotros. Es curioso... pero no es posible provocar una revolución sin hombres honrados. El instinto del populacho es infalible. —Hizo una pausa y luego repitió, como si la frase le hubiera gustado—: Toda revolución ha tenido sus hombres honrados. Luego se quitan de en medio con facilidad.

Había una nota siniestra en su voz.

—Clymes debe desaparecer —resumió el alemán—. Es demasiado listo. El número catorce cuidará de ello.

Hubo un murmullo ronco.

—De acuerdo, jefe. —Y agregó al cabo de unos instantes—: Supongamos que entonces me pescan.

—Tendrás el mejor abogado defensor —replicó el alemán sin alterarse—. Pero, de todas formas, llevarás unos guantes con las huellas dactilares de un conocido delincuente. No tienes gran cosa que temer.

—¡Oh, no tengo miedo, jefe! Todo sea por el bien de la causa. Dicen que por las calles van a correr ríos de sangre. —Habló con cierto anhelo—. Algunas veces sueño con ello. Y con diamantes y perlas rodando por el arroyo a disposición de quien quiera cogerlos.

Tommy oyó correr una silla y el número uno dijo:

—Entonces todo arreglado. ¿Se nos asegura el éxito?

—Creo... creo que sí.

Pero el alemán habló con menos convicción que de costumbre.

La voz del número uno denotó recelo.

—¿Es que ha ido algo mal?

—Nada, pero...

—¿Pero qué?

—Los dirigentes laboristas. Sin ellos, como dices, nada podemos hacer, si no declaran la huelga general el veintinueve.

—¿Y por qué no iban a hacerlo?

—Como bien has dicho, son honrados. Y a pesar de todo lo que hemos hecho para desacreditar al Gobierno ante sus ojos, puede que tengan una fe ciega en él.

—Pero...

—Lo sé. Lo atacan sin cesar. Pero en conjunto, la opinión pública se pone al lado del gobierno. No irán en su contra.

De nuevo los dedos del ruso tabalearon sobre la mesa.

—Al grano, amigo mío. Me han dado a entender que existe cierto documento secreto que asegura el éxito.

—Es cierto. Si ese documento fuese presentado ante los líderes, el resultado sería inmediato. Lo publicarían por toda Inglaterra y estallaría la revolución sin duda. El Gobierno caería vencido en todos los frentes.

—Entonces, ¿qué más quieres?

—El documento —dijo el alemán con rudeza.

—¡Ah! ¿No lo tienes? Pero, ¿sabes dónde está?

—Hay una persona que... tal vez lo sepa. Y ni siquiera de eso estamos seguros.

—¿Quién es esa persona?

—Una chica.

Tommy contuvo el aliento.

—¿Una chica? —La voz del ruso se alzó despectiva—. ¿Y no la has hecho hablar? En Rusia tenemos medios para hacer hablar a una chica.

—Este caso es distinto —dijo el alemán con pesar.

—¿Cómo... distinto? —Hizo uno pausa y continuó—: ¿Dónde está ahora esa muchacha?

—¿La chica?
—Sí.
—Está...
Pero Tommy ya no oyó nada más. Recibió un fuerte golpe en la cabeza y se sumió en la oscuridad.

Capítulo IX

TUPPENCE INGRESA EN EL SERVICIO DOMÉSTICO

Cuando Tommy emprendió la persecución de los dos hombres, Tuppence necesitó hacer uso de todo su dominio para no acompañarlo. No obstante, se contuvo lo mejor que pudo, y se consoló pensando que sus razonamientos habían quedado justificados por los hechos. Indudablemente los dos hombres bajaban del apartamento del segundo piso, y la ligera pista de un solo nombre, «Rita», había puesto una vez más a los jóvenes aventureros sobre el rastro de los raptores de Jane Finn.

El caso era, ¿qué hacer ahora? Tuppence no podía estarse mano sobre mano. Tommy ya tenía trabajo y, no pudiendo unirse a él, se sentía como inútil. Volvió sobre sus pasos hasta la entrada del edificio.

En el vestíbulo vio al chico del ascensor que pulía los bronces al ritmo de la última cancioncilla de moda que silbaba con gran vigor y bastante entonación.

Al ver entrar a Tuppence, volvió la cabeza. Había un algo en ella que, generalmente, hacia que se llevara bien con los chicos. En seguida se establecía entre ellos un lazo de simpatía, y consideró conveniente y nada despreciable tener un aliado en el campo enemigo.

—Vaya, William —observó alegremente, con su tono

más aprobador y amable—, ¡si los dejas brillantes como el sol!

El chico sonrió agradecido.

—Me llamo Albert, señorita —le corrigió.

—Albert, eso es —dijo Tuppence, y acto seguido dirigió una misteriosa mirada a su alrededor para impresionar al muchacho. Luego se inclinó hacia él y, bajando la voz, agregó—: Quiero hablar contigo, Albert.

Albert dejó de lustrar y abrió la boca ligeramente.

—¡Mira! ¿Sabes lo que es esto?

Y con gesto dramático volvió la solapa de su abrigo para mostrarle una insignia esmaltada. Era muy poco probable que Albert la conociera... cosa que hubiera sido fatal para los planes de Tuppence, puesto que la insignia en cuestión era el distintivo de un cuerpo de instrucción fundado por el arcediano en los primeros días de la guerra. El que la joven la llevara en el abrigo era debido a que algunos días antes la había utilizado para prenderse unas flores. Pero Tuppence tenía buena vista y había observado el extremo de una novela policíaca que asomaba por el bolsillo de Albert, y por el modo de abrir los ojos ante su táctica comprendió que el pez estaba a punto de picar.

—El Cuerpo Americano de Detectives —le susurró.

Albert cayó en la trampa.

—¡Dios mío! —murmuró extasiado.

Tuppence meneó la cabeza con el aire de quien ha establecido una corriente de comprensión.

—¿Sabes a quién busco? —le preguntó.

Albert, todavía con los ojos muy abiertos, preguntó casi sin aliento.

—¿A alguien de los apartamentos?

Tuppence asintió señalando al mismo tiempo la escalera con el pulgar.

—La del número veinte. Se hace llamar Vandemeyer. ¡Vandemeyer! ¡Ja! ¡Ja!

Albert se metió la mano en el bolsillo.

—¿Una ladrona? —preguntó ansioso.

—¡Ladrona! Eso diría yo. En Estados Unidos la llamaban «Rita la Rápida».

—«Rita la Rápida» —repitió Albert con fruición—. ¡Oh, igual que en las películas!

Así era en realidad. Tuppence iba al cine con mucha frecuencia.

—Annie siempre dijo que era un mal bicho —continuó el chico.

—¿Quién es Annie? —preguntó Tuppence.

—Su doncella. Se marcha hoy. Muchas veces me ha dicho: «Fíjate en lo que te digo, no me extrañaría que la policía viniera a por ella cualquier día». Eso me dijo. Pero es preciosa, ¿no le parece?

—Tiene cierto encanto —concedió Tuppence—. Y apuesto a que lo utiliza para sus planes. A propósito, ¿has visto si llevaba las esmeraldas?

—¿Esmeraldas? ¿Son unas piedras verdes, verdad?

Tuppence asintió.

—Por eso la buscamos. ¿Conoces al viejo Rysdale?

Albert negó con la cabeza.

—Peter B. Rysdale, el rey del petróleo.

—Me resulta familiar.

—Los pedruscos eran suyos. La mejor colección de esmeraldas del mundo. ¡Valoradas en un millón de dólares!

—¡Cáscaras! —exclamó Albert, extasiado—. Cada vez se parece más a una película.

Tuppence sonrió satisfecha por el éxito de sus esfuerzos.

—Todavía no hemos podido probarlo. Pero vamos tras ella, y... —le guiñó un ojo—... me figuro que esta vez no podrá escaparse con el botín.

Albert lanzó otra exclamación para demostrar su contento.

—Ni una palabra de eso —le dijo la joven de pronto—. No debiera habértelo dicho, pero en Estados Unidos conocemos a un chico listo en cuanto lo vemos.

—No diré nada —protestó Albert con calor—. ¿Hay algo que yo pueda hacer? Alguna vigilancia, tal vez. ¿O algo por el estilo?

Tuppence simuló reflexionar y luego meneó la cabeza.

—De momento, no; pero lo tendré en cuenta. ¿Cómo es que se marcha esa chica?

—¿Annie? Es lo que hacen todas, por lo general. Como dice ella, hoy en día una doncella es alguien y debe ser tratada con consideración y que, cuando ella haga correr la voz, no conseguirá encontrar otra con facilidad...

—¿No? —dijo Tuppence pensativa—. Me pregunto...

Una idea iba tomando forma en su mente. Pensó unos instantes y luego dio una palmada en el hombro del muchacho.

—Escucha, mi cerebro trabaja muy deprisa. ¿Qué te parece si le dijeras que tienes una prima o una amiga que podría entrar ahora a su servicio? ¿Me comprendes?

—Ya lo creo —replicó Albert al instante—. Déjemelo a mí, señorita, y lo arreglaré todo en un visto y no visto.

—¡Chico listo! —comentó Tuppence en tono aprobador—. Puedes decir que esa joven podría presentarse en seguida. Tú me lo dices y, si todo va bien, estaré aquí mañana por la mañana a eso de las once.

—¿Adónde he de avisarla?

—Al Ritz —replicó Tuppence, lacónica—. Pregunta por miss Cowley.

Albert la contempló con envidia.

—Debe ser un buen negocio eso de hacer de detective.

—Vaya si lo es, especialmente cuando el viejo Rysdale es quien paga la cuenta. Pero no te apures, hijo, que si todo sale bien, entrarás por la puerta grande.

Y con esta promesa se despidió de su nuevo aliado, y se alejó rápidamente de South Audley Mansions orgullosa de su trabajo matinal.

No había tiempo que perder. Fue directamente al

Ritz y escribió una nota para Carter. Una vez hecho esto, y como Tommy aún no había regresado, cosa que no le sorprendió, salió de compras, lo que, sin contar el tiempo que empleó en tomar un buen té con gran variedad de pastelillos, la tuvo ocupada hasta después de la seis, hora en que regresó al hotel, cansada pero satisfecha de sus adquisiciones. Había iniciado el recorrido por unas tiendas de ropa barata y después de pasar por otras dos de artículos de segunda mano, acabó en una peluquería de gran renombre. Ahora, en el retiro de su dormitorio, desenvolvió su última compra.

Cinco minutos después sonreía a su imagen reflejada en el espejo. Con un lápiz de maquillaje, había alterado la línea de sus cejas y esto, unido a la nueva tonalidad de sus cabellos, ahora de un rubio deslumbrante, cambiaba de tal modo su aspecto que confiaba en que, aunque tropezara con Whittington frente a frente, no podría reconocerla. Usaría zapatos de tacón muy alto, y la cofia y el delantal serían un disfraz muy valioso. Por la experiencia de sus años de hospital, sabía muy bien que, por lo general, una enfermera sin uniforme no suele ser reconocida por sus pacientes.

—Sí —dijo Tuppence en voz alta dirigiéndose al espejo—, lo conseguirás.

Luego se apresuró a volver a adquirir su aspecto normal.

Cenó sola. Le extrañaba que Tommy no hubiera regresado aún. Julius tampoco se encontraba en el hotel... pero eso se lo explicaba mejor. Sus atropelladas actividades no se limitaban a la ciudad de Londres, y sus repentinas apariciones y desapariciones eran aceptadas por los Jóvenes Aventureros como parte de su trabajo cotidiano. Era evidente que Julius P. Hersheimmer habría partido quizás hacia Constantinopla, si creyó por un momento de inspiración que allí iba a encontrar alguna pista de su prima desaparecida. El dinámico joven había conseguido hacer la vida insoportable a varios miembros de Scotland Yard, y las telefonistas del Almirantazgo ya habían aprendido a conocer y temer el familiar «¡Hola!».

Había pasado tres horas en París para atosigar a la Prefecture, de donde regresó con la idea, posiblemente inspirada por un oficial francés ya cansado de sus exigencias, de que la verdadera clave del misterio debía encontrarse en Irlanda.

«A lo mejor se ha ido allí —pensó Tuppence—. ¡Ah! bueno, pero esto me resulta muy aburrido. ¡Aquí estoy rabiando por explicar mis novedades... y no tengo quien me escuche! Tommy podría haber telegrafiado, o algo. Quisiera saber dónde está. De todas formas no puede haber «perdido el rastro», como dicen. Esto me recuerda...»

Miss Cowley interrumpió sus meditaciones para llamar a un botones. Diez minutos después se encontraba cómodamente acostada en su cama, fumando un cigarrillo y leyendo con fruición Barnaby Williams, el niño detective que, junto con otras muestras de literatura barata, había adquirido por medio del botones. Le parecía que debía documentarse antes de volver a ponerse en contacto con Albert.

A la mañana siguiente recibió una nota de Carter:

Querida miss Tuppence,
Ha empezado usted espléndidamente y la felicito, aunque considero mi deber hacerle ver una vez más los peligros que corre, sobre todo si sigue el curso que indica. Esas personas están desesperadas y son incapaces de sentir clemencia ni piedad. Sé que usted desprecia el peligro y por tanto debo advertirle, otra vez, que no puedo asegurarle protección. Nos ha proporcionado informaciones muy valiosas y, si ahora prefiere retirarse, nadie podrá reprochárselo. De todas formas, piénselo bien antes de decidirse.

*Si a pesar de mis advertencias, decide seguir
adelante, no se preocupe. Podrá asegurar que ha
servido dos años en casa de miss Dufferin, de
Llanelly, y si Rita Vandemeyer se dirige a ella para
pedir informes de usted, se los dará muy favorables.
¿Me permite un par de consejos? Siempre que le sea
posible no se aparte de la verdad... eso disminuye
el riesgo de posibles «patinazos». Le sugiero que se
presente como lo que es, una antigua VAD[1], que ha
escogido el servicio doméstico como profesión. Esto
explica cualquier incongruencia en la voz, o los
ademanes, que de otro modo pudieran suscitar
sospechas.
Decida lo que decida, le deseo mucha suerte.
Su afectísimo amigo,*

A. Carter

Los ánimos de Tuppence subieron como la espuma y
los consejos de Carter pasaron inadvertidos. Tenía demasiada confianza en sí misma para prestarle atención.

De mala gana rechazó el interesante papel que se
había propuesto representar. Aunque no tenía la menor
duda de su capacidad para mantenerlo indefinidamente, poseía demasiado sentido común para no verse obligada a reconocer la fuerza de los argumentos de Carter.

Seguía sin noticias de Tommy, aunque el correo de
la mañana le trajo una postal bastante sucia con las palabras:

«*Todo va bien*». A las diez y media, Tuppence revisó
con orgullo el baúl metálico con algunos abolladuras
que contenía sus recientes compras. Lo había atado
con una cuerda anudada con esmero. Se sonrojó al llamar para que lo cargaran en un taxi que la llevó hasta
la estación de Paddington, donde dejó el baúl en con-

1. Voluntary Aid Department. Departamento de Ayuda Voluntaria.
(*N. del T.*)

signa. Luego entró en el tocador de señoras con el bolso. Diez minutos después una Tuppence completamente transformada salía de la estación para tomar un autobús.

Pocos minutos después de las once, entraba nuevamente en South Audley Mansions. Albert estaba expectante, mientras realizaba sus tareas con descuido. De momento no supo reconocer a Tuppence y, cuando lo hizo, su admiración fue evidente.

—¡Qué me maten si la hubiera reconocido! ¡Está estupenda!

—Celebro que te agrade, Albert —replicó Tuppence con modestia—. A propósito, ¿soy o no tu prima?

—Y la voz también —exclamó el muchacho, encantado—. ¡Qué acento más inglés! No, dije que un amigo mío conocía a una chica. A Annie no le hizo gracia. Se ha quedado hasta hoy... por cumplir, *según dice*, pero la verdad es que quiere prevenirle en contra de la señora.

—Buena chica —dijo Tuppence.

Albert no supo captar su ironía.

—Tiene personalidad y limpia la plata muy bien, pero palabra que tiene un temperamento... ¿Va a subir ahora, señorita? Entre en el ascensor. ¿Dijo usted el número veinte? —Y guiñó un ojo.

Tuppence le llamó al orden con una mirada severa y entró en el ascensor.

Mientras tocada al timbre, fue consciente de la mirada de Albert que descendía por debajo del nivel del suelo. Una joven bonita le abrió la puerta.

—Vengo por el puesto —dijo Tuppence.

—Es muy mala casa —replicó la joven sin vacilar—. Esa vieja... siempre se mete en lo que no le importa. Me acusa de abrirle las cartas. ¡A mí! De todas formas, el sobre estaba medio despegado. Nunca tira nada al cesto de los papeles, todo lo quema. Es una pájara de cuidado. Lleva buenos trajes, pero no tiene clase. La cocinera sabe algo de ella...

pero no lo dirá... porque le teme. ¡Es más recelosa! Aparece al momento si una habla más de un minuto con cualquiera.

Pero Annie no pudo decirle más, porque en aquel momento una voz clara, con un tono acerado, gritó:

—¡Annie!

La joven pegó un respingo como si le hubiera alcanzado un balazo.

—Sí, señora.

—¿Con quién estás hablando?

—Es una chica que viene por el empleo, señora.

—Hazla pasar en seguida.

—Sí, señora.

Tuppence fue introducida en una habitación situada a la derecha de un largo pasillo donde había una mujer de pie junto a la chimenea. Había dejado atrás la primera juventud, pero su belleza, que indudablemente poseía, era dura y ordinaria. De joven debió ser deslumbradora. Sus cabellos color oro pálido, debido a un sabio arreglo, los llevaba recogidos sobre la nuca, y sus ojos, de un azul eléctrico, parecían poseer la facultad de llegar hasta lo más recóndito del alma de la persona que estaban mirando. Su figura exquisita era realzada por un magnífico vestido azul oscuro. Y no obstante, a pesar de su gracia y de la belleza casi etérea de su rostro, su presencia provocaba instintivamente una sensación de amenaza... una especie de fuerza metálica que encontraba expresión en el tono de la voz y en la mirada penetrante.

Por primera vez, Tuppence sintió miedo. No había temido a Whittington, pero aquella mujer era distinta. Como fascinada, observó la línea roja y cruel de sus labios y, de nuevo, se sintió presa del pánico. Su habitual seguridad le abandonó y comprendió vagamente que engañar a aquella mujer era muy distinto de engañar a Whittington. Le vino a la memoria la advertencia de Carter. Allí, desde luego, no podía esperar clemencia.

Tuppence dominó el instinto que la impulsaba a dar media vuelta y echar a correr sin perder un momento, y devolvió la mirada a la señora con firmeza y respeto.

Al parecer la primera impresión había sido satisfactoria, porque Mrs. Vandemeyer le señaló a una silla.

—Puede sentarse. ¿Cómo se enteró de que necesitaba doncella?

—Por un amigo que conoce al botones del ascensor. Creyó que el puesto podía interesarme.

De nuevo se sintió atravesada por aquella mirada de basilisco.

—Habla usted como una joven bien educada.

Bastante temblorosa, Tuppence le contó su carrera imaginaria, siguiendo la pauta indicada por Carter.

Pareció que Mrs. Vandemeyer se tranquilizaba.

—Ya —dijo al fin—. ¿Hay alguien a quien pueda escribir pidiendo informes?

—Ultimamente estuve en casa de miss Dufferin, en la rectoría de Llanelly. Estuve dos años con ella.

—Y luego pensó que ganaría más dinero viniendo a Londres, supongo. Bueno, eso no es cosa mía. Yo le pagaré cincuenta o sesenta libras anuales... lo que quiera. ¿Puede venir en seguida?

—Sí, señora. Hoy mismo, si usted quiere. Mi baúl está en la estación de Paddington.

—Entonces vaya a buscarlo en un taxi. No tendrá mucho trabajo, yo salgo mucho. A propósito, ¿cómo se llama?

—Prudence Cooper, para servirla.

—Muy bien, Prudence. Vaya a buscar su equipaje. Yo no como hoy en casa. La cocinera le enseñará dónde está todo.

—Gracias, señora.

Tuppence se retiró. La elegante Annie no estaba a la vista. En el vestíbulo una magnífico portero había relegado a Albert a segundo término. Tuppence ni siquiera le miró al salir a la calle.

La aventura había comenzado, pero se sentía menos animada que a primera hora de la mañana. Cruzó por su mente la idea de que si la desconocida Jane Finn había caído en manos de Rita Vandemeyer, lo más probable era que lo hubiese pasado muy mal.

CAPÍTULO X

INTERVIENE SIR JAMES PEEL EDGERTON

Tuppence no demostró la menor torpeza en sus nuevas tareas. Las hijas de los arcedianos están bien adiestradas en las labores de casa. Éstos son expertos en educar a una «chica díscola», aunque el resultado infalible es que la «chica díscola», una vez educada, se marche a otra parte donde sus conocimientos recién adquiridos le proporcionen una remuneración más alta que la que ofrecía la menguada bolsa del arcediano.

Por consiguiente, Tuppence no temía resultar inepta. La cocinera de Mrs. Vandemeyer la intrigaba. Era evidente que su señora la tenía atemorizada. La joven pensó que tal vez tuviera alguna influencia sobre ella. Por lo demás, cocinaba como un chef, como tuvo oportunidad de comprobar aquella noche. Mrs. Vandemeyer esperaba un invitado y Tuppence preparó la soberbia mesa de madera pulida para dos. Se preguntó quién sería el visitante. Era muy posible que fuese Whittington. A pesar de estar segura de que no había de reconocerla, hubiera preferido que el invitado resultase un completo desconocido. De todas formas, no le quedaba más remedio que esperar el desarrollo de los acontecimientos.

Pocos minutos después de las ocho, sonó el timbre de la puerta y Tuppence fue a abrirla con cierta inquietud interior. Respiró aliviada al ver que el recién llegado era el hombre que acompañaba a Whittington cuando ella dijo a Tommy que les siguiera un par de días atrás.

Dijo llamarse conde Stepanov. Tuppence lo anunció, y Mrs. Vandemeyer se levantó del diván con un murmullo de satisfacción.

—Cuánto me alegra verlo, Boris Ivanovitch —le dijo.

—El placer es mío, madame. —Se inclinó para besarle la mano.

Tuppence regresó a la cocina.

—Conde Stepanov o algo así —observó, agregando con franca y abierta curiosidad—: ¿Quién es?

—Creo que un caballero ruso.

—¿Viene muy a menudo?

—De vez en cuando. ¿Para qué quieres saberlo?

—Me preguntaba si podía convenirle a la señora, eso es todo —explicó la joven, agregando con aire ofendido—: Pronto te picas, ¿eh?

—Es que estoy de mal humor... no sé si el *soufflé* habrá salido bien.

«Tú sabes algo» pensó Tuppence, y en voz alta dijo:

—¿He de servirlo ahora?

Mientras servía la mesa, Tuppence escuchó atentamente todo lo que se hablaba allí. Recordaba que aquél era uno de los hombres que Tommy se disponía a seguir cuando lo vio por última vez. Aunque no quería reconocerlo, ya empezaba a estar intranquila por su compañero. ¿Dónde estaba? ¿Por qué no había sabido nada de él? Había dejado dispuesto, antes de salir del Ritz, que todas las cartas o recados le fueran enviados en seguida por un mensajero especial a una librería cercana a donde Albert tenía que acudir con frecuencia. Cierto que se había separado de su amigo el día anterior por la mañana, y era absurdo preocuparse por él. No obstante, era extraño que no hubiera dicho nada todavía.

Sin embargo, por mucho que escuchara, la conversación no iba a proporcionarle ninguna pista.

Boris y Mrs. Vandemeyer hablaban de temas intrascendentes: comedias que habían visto, nuevos bailes y los últimos chismes sociales. Después de la cena se trasladaron al saloncito donde Mrs. Vandemeyer, reclinada en el diván, estaba más bonita y seductora que nunca. Tuppence les llevó el café y los licores, y tuvo que retirarse de mala gana. Al hacerlo oyó que Boris decía:

—Es nueva, ¿verdad?

—Ha entrado hoy. La otra era una arpía. Ésta me parece muy buena chica. Sirve bien.

Tuppence se entretuvo un poco más junto a la puerta, que se cuidó de no cerrar y oyó decir al hombre:

—¿Será de confianza, supongo?

—La verdad, Boris, eso es ser absurdamente receloso. Creo que es la prima del botones o algo por el estilo. Y nadie sueña siquiera que yo tenga alguna relación con nuestro común amigo... mister Brown.

—Por amor de Dios, Rita, ten cuidado. Esa puerta no está cerrada.

—Bueno, pues ciérrala —rió ella.

Tuppence se apresuró a poner los pies en polvorosa.

No se atrevía a estar fuera de las dependencias posteriores por más tiempo, pero retiró la mesa y lavó la vajilla con la velocidad increíble adquirida en el hospital. Después, volvió en silencio a la puerta del saloncito. La cocinera, sin prisas, todavía trajinaba en la cocina y, si la echaba de menos, supondría que habría ido a preparar la ropa de cama para su ama.

¡Cielos! Hablaban en voz tan baja que no conseguía oír nada y no se atrevió a volver a abrir la puerta. Mrs. Vandemeyer estaba sentada casi frente a ella, y Tuppence respetaba la vista de lince y las dotes de observación de su ama.

Sin embargo, sentía la imperiosa necesidad de oír lo que hablaban. Quizá, si había ocurrido algo imprevisto, podría obtener noticias de Tommy. Durante algunos minutos reflexionó desesperada, y al fin su rostro se iluminó. A toda prisa se dirigió por el pasillo al dormitorio de Mrs. Vandemeyer, cuyos balcones daban a una terraza que ocupaba todo el frente del apartamento.

Sin hacer ruido, llegó hasta la ventana del salón. Como había supuesto, estaba entreabierta y las voces llegaron hasta ella con toda claridad. Tuppence escuchó con atención, pero no mencionaron nada que pudiera relacionarse con Tommy. Mrs. Vandemeyer y Boris parecían haber variado de tema y, finalmente, él exclamó amargado:

—¡Con tus imprudencias terminarás por arruinarnos!

—¡Bah! —rió ella—. La publicidad apropiada es el mejor medio de alejar las sospechas. Ya lo comprenderás uno de estos días... quizás antes de lo que crees.

—Entretanto, te exhibes por todas partes con Peel Edgerton, No sólo es el K.C.[1] más celebrado de Inglaterra, sino que su afición predilecta es la criminología. ¡Es una locura!

—Sé que su elocuencia ha salvado a incontables hombres de la horca —replicó Mrs. Vandemeyer sin alterarse—. ¿Y qué? Es posible que precise ayuda en ese sentido cualquier día. De ser cierto, qué suerte tener un amigo así en la corte... o tal vez sería mejor decir que *te hace* la corte.

Boris se puso en pie y comenzó a pasear de un lado a otro, muy excitado.

—Eres una mujer inteligente, Rita; pero también tonta. Déjate guiar por mí y deshazte de Peel Edgerton.

Mrs. Vandemeyer meneó la cabeza.

—Creo que no lo haré.

—¿Te niegas? —La voz del ruso tenía un tono desagradable.

1. King's Counsel. Grupo de abogados elegidos como consejeros de la corona británica. (*N. del T.*)

—Sí.

—Ya veremos... —gruñó el ruso.

Pero Rita Vandemeyer se había puesto también en pie con los ojos llameantes.

—Boris, olvidas que yo no tengo que dar cuentas a nadie. Yo sólo recibo órdenes de... mister Brown.

Boris dejó caer los brazos con desmayo.

—Eres imposible —musitó—. ¡Imposible! Puede que ya sea demasiado tarde. ¡Dicen que Peel Edgerton huele a los criminales! ¿Qué sabemos de lo que habrá en el fondo de su repentino interés por ti? Quizá sospeche ya. Si adivina...

Mrs. Vandemeyer le miraba con desdén.

—Tranquilízate, mi querido Boris. No sospecha nada. Con menos caballerosidad que otras veces pareces olvidar que me considera una mujer hermosa y te aseguro que esto es lo único que le interesa a Peel Edgerton.

Boris meneó la cabeza sin demasiada convicción.

—Ha estudiado el crimen como ningún hombre en todo el reino. ¿Te imaginas que puedes engañarlo?

Mrs. Vandemeyer entornó los ojos.

—¡Si él es todo lo que dices... será divertido intentarlo!

—Por Dios, Rita...

—Además —agregó la aludida—, es inmensamente rico y yo no soy de las que desprecian el dinero. Ya sabes, Boris, lo que dicen del dinero: que es el «sustento de la guerra».

—¡Dinero, dinero! Eso es lo peor de ti, Rita. Creo que venderías tu alma por dinero. Creo... —Hizo una pausa y luego agregó en tono bajo y siniestro—: Algunas veces creo que nos venderías... *a nosotros*.

Rita se encogió de hombros, sonriente.

—De todas maneras, el precio tendría que ser enorme —dijo en tono ligero—. No podría pagarlo más que un millonario.

—¡Ah! —exclamó en voz alta el ruso—, ¿Ves como tengo razón?

—Mi querido Boris, ¿es que no sabes apreciar una broma?

—Pero, ¿lo era?

—Pues claro.

—Entonces lo que yo puedo decir es que tu sentido del humor es muy particular, mi querida Rita.

—No nos peleemos, Boris —sonrió—. Toca el timbre para que nos traigan algo de beber.

Tuppence emprendió una rápida retirada. Se detuvo un momento para contemplarse en el espejo de la habitación de Mrs. Vandemeyer para asegurarse de que su aspecto era impecable. Luego se apresuró a atender la llamada.

La conversación que había escuchado, aunque interesante, ya que probaba la complicidad de Rita y Boris, arrojaba muy poca luz sobre sus preocupaciones presentes.

Ni siquiera se había mencionado el nombre de Jane Finn.

A la mañana siguiente Albert le informó de que en la librería no había ningún recado para ella. Le parecía increíble que Tommy no le hubiera enviado unas letras. A no ser que... una mano fría pareció aprisionar su corazón... A no ser... Luchó con energía para no dejarse dominar por sus temores. De nada serviría preocuparse. Sin embargo, aprovechó la oportunidad que le ofreció Mrs. Vandemeyer.

—¿Qué día suele salir, Prudence?

—El viernes, señora.

Mrs. Vandemeyer enarcó las cejas.

—¡Y hoy es viernes! Pero supongo que no querrá salir hoy, cuando acaba de entrar a trabajar.

—Pensaba pedirle si me permitiría hacerlo, señora.

Rita Vandemeyer la miró fijamente y al cabo sonrió.

—Ojalá pudiera oírla el conde Stepanov. Ayer noche hizo un comentario acerca de usted. —Sonrió como un gato—. Su petición es muy... típica. Estoy satisfecha. Usted no comprenderá lo que le estoy diciendo... pero puede salir hoy. A mí me da lo mismo, puesto que no comeré en casa.

—Gracias, señora.

Tuppence sintió una sensación de alivio al dejar su compañía y, una vez más, tuvo que admitir que tenía miedo... un miedo terrible a aquella hermosa mujer de ojos crueles.

Cuando se hallaba entregada a la faena de limpiar la plata, Tuppence tuvo que interrumpirla porque llamaron a la puerta. Esta vez el visitante no era Whittington ni Boris, sino un hombre de inmejorable apariencia.

Era un poco más alto de lo corriente y, no obstante, daba la impresión de ser altísimo. Su rostro, perfectamente rasurado y muy expresivo, daba la impresión de un poder y fuerza extraordinarios; parecía irradiar magnetismo.

Tuppence, de momento, no supo si clasificarlo como actor o abogado, pero sus dudas se desvanecieron tan pronto como le dijo su nombre: sir James Peel Edgerton.

Le miró con renovado interés. Entonces este era el famoso K.C. cuyo nombre era familiar en toda Inglaterra. Había oído decir que cualquier día sería Primer Ministro.

Se sabía que había renunciado a ciertos cargos por amor a su profesión, y preferido seguir como simple diputado de un distrito electoral escocés.

Tuppence regresó a la cocina pensativa. Aquel gran hombre la había impresionado. Comprendía la agitación de Boris. Peel Edgerton no era un hombre fácil de engañar.

Al cabo de un cuarto de hora volvió a sonar el timbre y Tuppence acudió al recibidor para despedirlo. Antes, él le había dirigido una mirada penetrante y ahora, al entregarle el sombrero y el bastón, volvió a observarla. Cuando le abrió la puerta y se hizo a un lado para dejarle pasar, él se detuvo en el umbral.

—Es nueva en esto, ¿verdad?

Tuppence alzó los ojos hasta él, asombrada. En su mirada se leía amabilidad y algo mucho más difícil de descifrar.

Él asintió como si ella hubiera respondido.

—Sirvió como voluntaria y luego se vio apurada, ¿verdad?

—¿Se lo ha dicho Mrs. Vandemeyer? —preguntó Tuppence, recelosa.

—No, niña. Lo adiviné por su aspecto. ¿Le agrada esta casa?

—Sí, señor. Gracias.

—¡Ah, pero hoy en día hay muchísimas casas buenas! Y un cambio a veces no hace daño.

—¿Quiere usted decir...? —comenzó Tuppence.

Pero sir James estaba ya casi en la escalera, aunque se volvió para dirigirle una mirada astuta y amable.

—Es sólo una sugerencia —le dijo—. Sólo eso.

Tuppence regresó a la cocina más preocupada que nunca.

Capítulo XI

JULIUS CUENTA UNA HISTORIA

Vestida convenientemente, Tuppence salió a disfrutar de su «tarde libre». Albert estaba a la expectativa, pero la joven prefirió ir en persona a la librería para asegurarse de que no había ningún recado. Una vez comprobado, se encaminó al Ritz. Le dijeron que Tommy aún no había regresado. Era la respuesta que esperaba, pero fue otro clavo en el ataúd de sus esperanzas. Decidió acudir a mister Carter para decirle dónde y cuándo empezó Tommy sus pesquisas y pedirle que hiciera algo para dar con su paradero. La perspectiva de conseguir su ayuda animó a la joven que, acto seguido, preguntó por Julius Hersheimmer. Le dijeron que, en efecto, había regresado haría cosa de una hora, pero que volvió a marcharse inmediatamente.

Tuppence revivió otro poquitín. Era algo poder ver a Julius. Quizás él tuviera algún plan para averiguar lo que había sido de Tommy. Escribió una nota para Carter en la salita de Julius y, cuando estaba cerrando el sobre, se abrió la puerta.

—¿Qué diablos...? —empezó a decir Julius, pero se detuvo bruscamente—. Le ruego me perdone, miss Tuppence. Esos tontos de la recepción dicen que Beresford ya no está aquí, que no ha vuelto desde el miércoles. ¿Es cierto eso?

Tuppence asintió.

—¿No sabe dónde está? —preguntó ella con desmayo.

—¿Yo? ¿Cómo iba a saberlo? No he sabido ni una palabra de él aunque le telegrafié ayer por la mañana.

—Supongo que su telegrama estará aún sin abrir.

—Pero, ¿dónde está?

—No lo sé. Yo esperaba que usted lo supiera.

—Ya le digo que no he sabido nada de él desde que nos separamos en la estación el miércoles.

—¿Qué estación?

—La de Waterloo. En el andén de los trenes que salen hacia el suroeste.

—¿Waterloo? —Tuppence frunció el ceño.

—Pues, sí. ¿No se lo dijo?

—Yo tampoco lo he visto —replicó la joven con impaciencia—. Siga con lo de Waterloo. ¿Qué hacían allí?

—Me llamó por teléfono y me dijo que fuera corriendo. Seguía a un par de pillos.

—¡Ah! —dijo Tuppence abriendo mucho los ojos—. Ya comprendo, continúe.

—Fui lo más aprisa que pude. Beresford estaba allí y me indicó los dos tipos. Al más grueso, al que usted engañó, iba a seguirlo yo. Tommy me puso un billete en la mano y me dijo que subiera al tren. Él tenía que seguir al otro. —Julius hizo una pausa—. Yo daba por seguro que usted ya lo sabría.

—Julius —dijo Tuppence con firmeza—, deje de pasear de un lado a otro. Me pone nerviosa. Siéntese en esa butaca y cuénteme toda la historia sin tantos adornos verbales.

Hersheimmer obedeció.

—De acuerdo —le dijo—. ¿Por dónde empiezo?

—Por el punto de partida. La estación de Waterloo.

—Bien —comenzó Julius—. Entré en uno de sus queridos y anticuados compartimientos británicos de primera clase. El tren acababa de arrancar. La primera cosa que recuerdo es que un revisor vino a informarme muy amablemente de que no me encontraba en un compartimiento de fumadores. Le alargué medio dólar y todo quedó arreglado. Inspeccioné por el pasillo hasta el coche siguiente.

»Whittington estaba allí. Cuando vi aquel rostro flácido y carnoso, y pensé que la pobre Jane estaba en sus garras, me puse fuera de mí por no llevar encima un revólver. Le hubiera dado un buen susto.

»Llegamos a Bournemouth sin novedad... Whittington detuvo un taxi al que dio el nombre de un hotel. Yo hice lo mismo y llegamos con tres minutos de diferencia. Alquiló una habitación, y yo otra. Hasta allí todo fue muy sencillo. No tenía la más remota sospecha de que alguien pudiera seguirlo. Pues bien, estuvo sentado en el vestíbulo del hotel, leyendo los periódicos hasta que fue la hora de cenar. Tampoco habló con nadie.

»Empecé a pensar que no tendría nada que hacer, que habría ido allí en viaje de reposo, pero me fijé que no se había cambiado para cenar, a pesar de ser un hotel bastante elegante, de modo que pensé que tal vez se ocupara de sus asuntos después de la cena.

»Y eso hizo alrededor de las nueve. Tomó un taxi y recorrió la ciudad... A propósito, es un sitio muy bonito, y creo que llevaré a Jane a pasar unos días cuando la encuentre... Luego lo despidió y anduvo hasta esos bosques de pinos que hay en la cima del acantilado. Por supuesto, yo lo seguí. Caminamos durante una media hora. Hay muchos chalés que, poco a poco, se van espaciando y al fin llegamos a uno que parecía ser el último de la serie. Era una casa muy grande rodeada de muchos pinos.

»La noche era oscura. Podía oír cómo andaba delante de mí, aunque no verlo. Hube de ir con cuidado para que no sospechara que lo seguía. Al dar la vuelta a un recodo llegué a tiempo de verlo tocar el timbre y entrar en la casa. Me detuve donde estaba. Empezaba a llover y no tardé en quedar calado hasta los huesos. Además hacía frío.

»Whittington no salía y, poco a poco, me cansé de estarme quieto y comencé a husmear por los alrededores. Todas las ventanas de la planta baja estaban cerradas, pero arriba, en el primer piso (era una casa de dos plantas), vi una que tenía la luz encendida y las cortinas descorridas.

»Ahora bien, precisamente enfrente de esta ventana había un árbol. Estaba situado a unos diez metros de la casa, y se me metió en la cabeza que, si me subía a aquel árbol, conseguiría ver lo que estaba ocurriendo en aquella habitación. Claro que no había razón para suponer que Whittington estuviera precisamente allí... ya que lo más probable era que se encontrase en una de las salas de recepción de la planta baja. Pero me estaba quedando tieso de estar tanto tiempo parado bajo la lluvia, y cualquier cosa me parecía mejor que no hacer nada. De modo que trepé hasta la copa.

»No fue nada fácil, ¡ni mucho menos! La lluvia hacía que las ramas estuvieran resbaladizas. Hice cuanto pude por encontrar donde apoyar el pie y, poco a poco, me las arreglé para alcanzar el nivel de la ventana.

»Y entonces tuve una desilusión. Estaba demasiado a la izquierda y sólo podía ver una parte de la habitación. Un pedazo de cortina y un metro de pared. Bueno, no me había servido de nada, pero, cuando ya iba a darme por vencido y me disponía a bajar, alguien se movió en el interior proyectando su sombra en el reducido espacio de pared... ¡Era Whittington!

»Después de esto, sentí que me ardía la sangre. Tenía que *ver* lo que estaba ocurriendo en aquella habitación, pero, ¿cómo? Observé una rama larga que seguía la dirección conveniente. Si conseguía arrastrarme hasta allí quedaría solucionado, pero era poco seguro que aguantara mi peso. Decidí arriesgarme y, con grandes precauciones, centímetro a centímetro, me fui situando. La rama crujía y oscilaba de un modo alarmante, y no quise pensar en la distancia que estaba del suelo en caso de caer. Por fin conseguí llegar a salvo a donde deseaba.

»La habitación era de tamaño regular y estaba amueblada al estilo impersonal y aséptico de las clínicas. En el centro había una mesa con una lámpara y, sentado ante ella, de cara a mí, estaba Whittington hablando con una mujer vestida de enfermera; estaba de espaldas y no pude verle la cara. Aunque las persianas estaban levantadas la ventana estaba cerrada y no podía oír ni una palabra de lo que hablaban.

»Al parecer, Whittington llevaba la voz cantante; la enfermera se limitaba a escuchar. De vez en cuando asentía, y otras negaba con la cabeza como si estuviera respondiendo preguntas. Él parecía muy categórico... y una o dos veces descargó el puño sobre la mesa. La lluvia había cesado y el cielo se iba aclarando con la rapidez acostumbrada.

»Por fin pareció llegar al término de lo que estaba diciendo, y se puso en pie. Ella hizo lo mismo. Whittington preguntó algo mirando hacia la ventana. Me imagino que observaría si llovía aún. De todas formas, ella se acercó a mirar al exterior. En aquel preciso momento la luna salió de detrás de unas nubes y tuve miedo de que me viera, porque me daba de lleno. Traté de echarme hacia atrás, y por lo visto mi movimiento fue demasiado brusco para la rama, que se vino abajo con fuerte estrépito y, con ella, Julius P. Hersheimmer.

—¡Oh, Julius! —exclamó Tuppence—. ¡Qué emocionante! Continúe.

—Pues, afortunadamente para mí, caí sobre un espacio de tierra blanda... pero de todas formas quedé sin sentido durante un rato. Cuando recobré el conocimiento me encontraba en una cama ante la que había una enfermera —no la que había visto con Whittington—, y un hombrecillo de barba oscura y gafas con la montura de oro con todo el aspecto de médico, que se frotó las manos y alzó las cejas cuando yo le miré. «¡Ah! —dijo—. De modo que nuestro amigo vuelve en sí. ¡Magnífico! ¡Magnífico!».

Yo le pregunté lo que se acostumbra en tales casos: «¿Qué ha ocurrido?» y «¿Dónde estoy?», aunque sabía la respuesta. No tengo telarañas en la mollera. Dirigiéndose a la enfermera le dijo: «Creo que de momento esto es todo». Al salir, ésta me miró con profunda curiosidad.

»Su mirada me dio una idea. «Ahora, dígame, doctor...», dije, tratando de sentarme en la cama, pero mi pie derecho me dio un pinchazo tremendo al hacerlo. El médico me interrumpió, apresurándose a facilitarme un diagnóstico: «Se trata de una ligera torcedura. Nada de cuidado. Se pondrá bien en un par de días».

—Ya me he fijado que anda usted cojo —intervino Tuppence.

Julius asintió antes de continuar:

—«¿Cómo ha sido?», le volví a preguntar al médico, y él me respondió en tono seco: «Se cayó usted con una porción considerable de uno de mis árboles sobre uno de los parterres recién plantados».

»Me agradó aquel hombre. Parecía tener el sentido del humor, y tuve la seguridad de que él, por lo menos, era honrado. Le dije: «Vaya, doctor, lamento lo del árbol, y los bulbos que plante de nuevo corren de mi cuenta. Pero tal vez le agradaría saber lo que estaba haciendo en su jardín». Y me respondió: «Creo que los hechos requieren una explicación». Yo asentí. «Bien, para empezar le diré que no vine a llevarme las cucharillas».

»Sonrió. «Ésa fue mi primera teoría, pero pronto cambié de opinión. A propósito, es usted norteamericano, ¿verdad?» Le dije mi nombre. «¿Y usted, doctor, quién es?» Me respondió sin titubear: «Me llamo Hall, doctor Hall, y ésta, como sin duda ya supone, es mi clínica particular».

»Yo no lo sabía, pero no iba a decírselo. Le estaba

agradecido por la información. Me agradaba aquel hombre y le creía honrado, pero no por ello iba a contarle toda la historia, porque probablemente tampoco la hubiera creído.

»En un instante tomé una determinación. Le dije: «Vaya, doctor, me figuro que voy a parecer muy tonto, pero no vine a hacer de Bill Sikes»[1]. Entonces balbuceé algo acerca de una chica. Saqué a relucir la severidad de los guardianes, un desequilibrio nervioso, y al fin le dije que había creído reconocerla entre las pacientes de su clínica, y he ahí la razón de mis aventuras nocturnas.

»Me figuro que era la clase de historia que esperaba. Cuando hube terminado me dijo divertido: «Es casi una novela». A lo que respondí: «Ahora, doctor, continúe y sea franco conmigo. ¿Tiene aquí ahora, o ha tenido alguna vez, a una joven llamada Jane Finn?» El doctor Hall repitió el nombre pensativo: «¿Jane Finn? No».

»Estaba disgustado y me figuro que lo notó. Le apremié: «¿Está seguro, doctor?» «Completamente seguro, mister Hersheimmer. Es un nombre poco corriente y no lo hubiera olvidado».

»Bien. Una respuesta categórica que me dejó como al principio. ¡Y yo que esperaba que mi búsqueda llegara a su fin! «Pues nada, resignación», dije por fin. «Una última cosa. Cuando estaba subido a esa maldita rama creí reconocer a un viejo amigo mío hablando con una de las enfermeras». No mencioné ningún otro nombre por temor a que Whittington se hiciera llamar de otra manera, pero el médico respondió en seguida: «¿Whittington, tal vez?» En cierto modo sorprendido, afirmé: «El mismo. ¿Y qué estaba haciendo aquí? ¿No irá a decirme que *sufre* trastornos nerviosos?»

1. Bill Sikes. Personaje de la novela de Charles Dickens, Oliver Twist. Un ladrón desagradable y brutal.(*N. del T.*)

»El doctor Hall se echó a reír. «No, ha venido a ver a una de mis enfermeras, la enfermera Edith, que es sobrina suya». Exclamé: «¡Vaya, quién lo iba a pensar! ¿Está aún aquí mister Whittington?» Me aclaró: «No, se marchó casi inmediatamente». «¡Qué lástima!», dije yo, y añadí: «Pero tal vez podría hablar con su sobrina... la enfermera... Edith dijo usted que se llamaba, ¿verdad?»

»Pero el médico meneó la cabeza. «Me temo que eso tampoco será posible. La enfermera Edith se ha marchado también esta noche con una paciente». «¡Qué mala suerte!» exclamé. «¿Acaso tiene usted la dirección de mister Whittington en la ciudad? Me gustaría telefonearlo cuando llegue». No la conocía, pero me dijo que, en caso de interesarme, podía escribir a la enfermera Edith. Le di las gracias, no sin pedirle antes que no le mencionara mi nombre: «Quisiera darle una sorpresa». Y me despedí.

»Eso fue todo lo que pude hacer de momento. Claro que si la chica era en realidad sobrina de Whittington sería demasiado lista para caer en la trampa, pero valía la pena probarlo. A continuación puse un telegrama a Beresford diciéndole dónde estaba, que tenía que permanecer echado por mi tobillo, y que viniera si no estaba demasiado ocupado. No obstante, nada supe de él y mi pie no tardó en restablecerse. Sólo era una ligera torcedura, de modo que hoy me dieron de alta, me despedí del médico, pidiéndole que me avisara si sabía algo de la enfermera Edith, y vine en seguida hacia aquí. ¿Qué le ocurre, miss Tuppence? Se ha puesto muy pálida.

—Es por Tommy —dijo la joven—. ¿Qué puede haberle ocurrido?

—Anímese, no le habrá pasado nada. ¿Por qué habría de ocurrirle algo? Mire, se fue detrás de un sujeto de aspecto extranjero. Tal vez se haya ido a... Polonia, o algún sitio parecido...

Tuppence meneó la cabeza.

—No podía hacerlo sin pasaporte. Además, después he visto a ese hombre Boris No-sé-qué. Ayer noche cenó con Mrs. Vandemeyer.

—¿La señora qué?

—Me olvidaba. Claro, usted no sabe nada de todo esto.

—Soy todo oídos —dijo Julius, añadiendo a continuación su frase favorita—: Póngame al corriente.

Entonces Tuppence le relató los acontecimientos de los dos últimos días. La admiración y asombro de Julius eran inmensos.

—¡Bravo! Usted haciendo de doncella. Es para morirse de risa! —Y agregó en tono más serio—: Pero ahora escúcheme bien, miss Tuppence: esto no me gusta nada, se lo aseguro. Usted es tan valiente como la que más, pero preferiría que se apartara de todo esto. Esta gente a la que perseguimos lo mismo mata a una joven que a un hombre en cualquier momento.

—¿Cree que tengo miedo? —dijo Tuppence indignada, mientras se esforzaba para no pensar en el brillo acerado de los ojos de Mrs. Vandemeyer.

—Ya le dije antes que es muy valiente, pero eso no altera los hechos.

—¡Oh, no hablemos *de mí*! —dijo Tuppence impaciente—. ¡Pensemos en lo que puede haberle ocurrido a Tommy! Le envié una carta a mister Carter para informarle —añadió, y resumió param Julius el contenido de la misiva.

Julius asintió muy serio.

—Me figuro que de momento era lo mejor que podía hacer, pero nosotros deberíamos movernos y hacer algo.

—¿Y qué podemos hacer? —preguntó Tuppence que sintió renacer su esperanza.

—Creo que lo mejor será seguir el rastro de Boris. ¿Dice usted que ha ido a esa casa donde usted sirve? ¿Es probable que vuelva allí?

—Sí, aunque en realidad no lo sé.

—Ya. Bien, creo que lo mejor es comprar un automóvil deslumbrante, yo me visto de chófer y me sitúo ante la casa. Cuando Boris salga, usted me hace una señal y yo lo sigo. ¿Qué tal?

—Espléndido, pero es posible que tarde semanas en aparecer.

—Tendremos que correr ese riesgo. Celebro que le agrade mi plan. —Se puso en pie.

—¿Adónde va?

—A comprar el coche, desde luego —replicó Julius sorprendido—. ¿Qué marca le gusta más? Me figuro que podrá pasear en él alguna vez antes de que concluya todo esto.

—¡Ah! —dijo Tuppence con voz débil—. *Me gustan* los Rolls-Royce, pero...

—De acuerdo —se avino Julius—. Será como usted dice. Le traeré un Rolls.

—Pero no va a conseguirlo —exclamó Tuppence—. A veces hay que esperar mucho.

—Pero el pequeño Julius no —afirmó Hersheimmer—. No se preocupe por eso. Estaré aquí con el coche dentro de media hora.

Tuppence se puso en pie.

—Es usted buenísimo, Julius, pero no puedo dejar de pensar que es una empresa bastante desesperada, y sólo confío en mister Carter.

—Pues yo no.

—¿Por qué?

—Es sólo una idea.

—¡Oh, pero él tiene que hacer algo! No hay nadie más. A propósito, me olvidé contarle una cosa muy curiosa que ocurrió esta mañana.

Y le refirió su encuentro con sir James Peel Edgerton.

Julius se interesó.

—¿Qué cree usted que quiso decir? —le preguntó.

—Pues no lo sé —respondió Tuppence pensativa—.

Pero pienso que, con esa manera ambigua, legal y sin prejuicios de los abogados, pretendía prevenirme.

—Pero, ¿por qué?

—No sé —confesó Tuppence—. Me parecía amable y muy inteligente. No me importaría nada ir a verlo y contárselo todo.

Ante su sorpresa, Julius rechazó la idea de plano.

—Escuche —le dijo—, no quiero ver a ningún abogado metido en esto. Ese individuo no podría ayudarnos en nada.

—Bien, pues yo creo que sí —insistió Tuppence.

—No lo crea. Hasta luego. Volveré dentro de media hora.

Habían transcurrido treinta y cinco minutos cuando Julius regresó. Cogió a Tuppence del brazo, y le hizo asomarse a la ventana.

—Ahí está.

—¡Oh! —exclamó Tuppence con admiración al contemplar el enorme Rolls-Royce.

—Y puedo asegurarle que corre —dijo Julius satisfecho.

—¿Cómo lo consiguió? —quiso saber la joven.

—Iban a enviárselo a un pez gordo.

—¿Y bien?

—Fui hasta su casa —explicó Julius—. Dije que reconocía que un coche como éste valía veinte mil dólares, y agregué que para mí valdría cincuenta mil si me lo entregaba en el acto.

—¿Y bien? —repitió Tuppence extasiada.

—Se apeó del coche, eso es todo.

Capítulo XII

UN AMIGO EN APUROS

E l viernes y el sábado transcurrieron sin novedades. Tuppence había recibido una breve respuesta de Carter a su requerimiento, en la que apuntaba que los jóvenes aventureros habían emprendido la búsqueda bajo su responsabilidad, y ya fueron advertidos de los peligros a que iban a exponerse. Si a Tommy le había ocurrido algo, lo lamentaba muchísimo, pero nada podía hacer.

Esto era un pobre consuelo. Sin Tommy, todo el sabor de la aventura desaparecía y, por primera vez, Tuppence dudó del éxito de su empresa. Mientras estaban juntos no vaciló ni un instante. A pesar de que estaba acostumbrada a llevar la iniciativa y se enorgullecía de ser la más rápida, la verdad es que había confiado en Tommy más de lo que hasta entonces se diera cuenta. Era tan sobrio y de una mentalidad tan despejada, y su sentido común y sana visión de las cosas eran tan firmes, que sin él se sentía como un barco sin timón.

Era curioso que Julius, siendo más listo que Tommy, no le diera aquella sensación de apoyo. Estaba acostumbrada al pesimismo de Tommy y a la seguridad de que siempre veía las desventajas y dificultades que ella hubiera pasado por alto con su optimismo, pero en realidad, siempre había confiado plenamente en su buen juicio. Podía ser lento, pero seguro.

Por primera vez se daba cuenta del carácter siniestro de la misión que emprendieron tan a la ligera y que comenzó como una página de novela. Ahora, despojada de su encanto, le hizo ver la triste realidad. Tommy era lo único que importaba y muchas veces, durante aquel día, hubo de secarse las lágrimas con energía.

«Tonta —se reprendía—, no lloriquees. Claro que le aprecias. Lo conoces de toda la vida, pero no hay necesidad de ponerse sentimental».

Entretanto, no volvieron a ver a Boris. No volvió por el apartamento, y Julius y el coche esperaron en vano. Tuppence se entregó a nuevas meditaciones. Aunque admitía las objeciones de Julius, no había renunciado por completo a la idea de acudir a sir James Peel Edgerton. Incluso había llegado a mirar su dirección en la guía telefónica. ¿Quiso advertirla aquel día? Y de ser así, ¿por qué? Sin duda tenía por lo menos derecho a pedirle una explicación. La había mirado con tanta amabilidad... Quizá pudiera decirle algo relativo a Mrs. Vandemeyer que le diera una pista del paradero de Tommy.

De todas formas, Tuppence decidió, con su movimiento de hombros peculiar, que valía la pena intentarlo. El domingo tenía la tarde libre, convencería a Julius y luego irían a ver al león en su guarida.

Cuando llegó el día, Julius necesitó mucho tiempo para dejarse convencer, pero Tuppence se mantuvo firme. «No puede perjudicarnos», era el argumento que repetía una y otra vez. Por fin, Julius cedió y fueron a Carlton House Terrace en el coche.

Les abrió la puerta un mayordomo irreprochable. Tuppence estaba algo nerviosa. Al fin y al cabo, tal vez fuera un atrevimiento colosal de su parte. Había decidido no preguntar si sir James estaba «en casa», sino adoptar una actitud más personal.

—¿Quiere preguntar a sir James si puede concederme unos minutos? Tengo un mensaje muy importante para él.

El mayordomo se retiró para regresar a los pocos momentos.

—Sir James los recibirá. ¿Quieren tener la bondad de seguirme?

Les hizo pasar a una habitación del fondo de la casa, amueblada como biblioteca. La colección de libros era magnífica, y Tuppence observó que toda una parte estaba dedicada a obras sobre crímenes y criminología. Había varios butacones de cuero y una chimenea anticuada. Bajo la ventana había un escritorio sembrado de papeles ante el que se encontraba sentado el dueño de la casa.

Al verlos entrar se puso en pie.

—¿Tiene usted un mensaje para mí? ¡Ah! —Al reconocer a Tuppence le dirigió una sonrisa—. Es verdad. Supongo que vendrá a traerme un recado de Mrs. Vandemeyer.

—No exactamente —replicó Tuppence—. La verdad es que sólo lo he dicho para que me recibiera. Ah, a propósito, le presento a mister Hersheimmer, sir James Peel Edgerton.

—Encantado de conocerlo —dijo el norteamericano, al tiempo que le tendía la mano.

—¿No quieren sentarse? —preguntó sir James. Acercó dos sillas.

—Sir James —dijo Tuppence con osadía—, sin duda debe pensar que es una mucha caradura de mi parte visitarlo así. Porque, desde luego, se trata de algo que nada tiene que ver con usted, una persona tan importante, y más si tenemos en cuenta que Tommy y yo somos dos seres insignificantes.

Se detuvo para tomar aliento.

—¿Tommy? —preguntó sir James mirando al norteamericano.

—No, él es Julius —explicó Tuppence—. Estoy bastante nerviosa y por eso no sé explicarme bien. Pero me gustaría saber qué es lo que quiso usted decirme exactamente el otro día. Quiso prevenirme contra Mrs. Vandemeyer, ¿no es cierto?

—Mi querida jovencita, que yo recuerde sólo dije que había otras muchas colocaciones igualmente buenas.

—Sí, lo sé. Pero fue una advertencia, ¿verdad?

—Bueno, tal vez lo fuera —admitió sir James con gravedad.

—Pues bien, quiero saber aún más. Deseo saber el porqué de esa advertencia.

Sir James sonrió al ver su ansiedad.

—Supongamos que esa señora me denuncia por difamación... —contestó sir James.

—Por supuesto —dijo Tuppence—. Ya sé que los abogados son siempre muy cuidadosos. Pero, ¿no se dice primero «sin pretender perjudicar a nadie», y luego ya puede decirse lo que uno quiere?

—Bueno —replicó sir James sin dejar de sonreír—, entonces «sin pretender perjudicar a nadie» le diré que si una hermana mía tuviera que ganarse la vida, no me gustaría verla al servicio de Mrs. Vandemeyer. Y creía conveniente advertirla. No es un lugar adecuado para una joven sin experiencia. Es todo cuanto puedo decirle.

—Ya —dijo Tuppence pensativa—. Muchísimas gracias, pero yo no soy una joven sin experiencia, ¿sabe usted? Cuando fui allí sabía perfectamente que era una mala persona... y a decir verdad por eso fui... —Se interrumpió al ver cierto asombro reflejado en el rostro del abogado, y continuó—: Creo que tal vez será mejor contarle toda la historia, sir James. Tengo la impresión de que si no le dijera la verdad, lo sabría en el acto, de modo que es preferible contárselo todo desde el principio. ¿Qué le parece, Julius?

—Puesto que está decidida, yo le contaría todos los detalles —replicó el norteamericano que, hasta aquel momento, no había pronunciado palabra.

—Sí, cuéntemelo todo —dijo sir James—. Quiero saber quién es ese Tommy.

Esto animó a Tuppence a comenzar su relato, que el abogado escuchó con gran atención.

—Muy interesante —dijo cuando hubo concluido—. Gran parte de lo que acababa de decirme lo sabía ya, pequeña. Yo tengo algunas teorías personales acerca de Jane Finn. Se han portado magníficamente bien hasta ahora, pero me parece muy mal por parte de —¿qué nombre le dan ustedes?— mister Carter, que haya metido en este asunto a dos jóvenes como ustedes? A propósito. ¿En qué momento interviene mister Hersheimmer? No ha dejado este punto muy claro.

Julius se lo explicó.

—Soy primo hermano de Jane —dijo sosteniendo la mirada del abogado.

—¡Ah!

—¡Oh, sir James! —intervino Tuppence—. ¿Qué cree usted que habrá sido de Tommy?

—¡Hum! —El abogado se puso en pie y comenzó a pasear de un lado a otro—. Cuando llegaron ustedes, estaba preparando los aparejos. Marchaba a Escocia en el tren de la noche a pasar unos días pescando. Pero hay muchas maneras de pescar. Voy a quedarme y veré si puedo dar con el rastro de ese joven.

—¡Oh! —Tuppence juntó las manos extasiada.

—De todas formas, como ya dije antes, Carter hizo muy mal en dejar intervenir a un par de críos en un asunto como éste. No se ofenda, señorita...

—*Cowley*. Prudence *Cowley*. Pero todos mis amigos me llaman Tuppence.

—Bien, miss Tuppence, puesto que voy a ser amigo suyo, no se ofenda porque la considere demasiado joven. La juventud es un fallo que se supera demasiado rápido. Ahora, en cuanto a ese Tommy amigo suyo...

—Sí —Tuppence juntó las manos.

—Con franqueza, las cosas se presentan mal para él. Se habrá metido en algún sitio donde no le llamaban. No cabe la menor duda. Pero no pierda la esperanza, ya saldrá de apuros.

—¿Y nos ayudará usted, verdad? ¡Julius! Y usted no quería venir —agregó en tono de reproche.

—¡Hum! —masculló el abogado, dedicando a Julius otra de sus miradas penetrantes—. ¿Y eso por qué?

—Creí que no valdría la pena molestarlo por un asunto sin importancia como éste.

—Ya comprendo —hizo una pausa breve—. Este asunto sin importancia, como usted dice, guarda relación directa con uno *muy* importante... mucho más de lo que usted o miss Tuppence pudieran suponer. Si ese muchacho vive, podrá darnos una información muy valiosa. Por lo tanto debo encontrarlo.

—Sí, ¿pero cómo? —exclamó Tuppence—. He estado pensando en todas las formas habidas y por haber.

Sir James sonrió.

—Y no obstante hay una persona muy cercana que con toda probabilidad sabe dónde está, o por lo menos dónde es probable que se encuentre.

—¿Y quién es esa persona? —preguntó Tuppence extrañada.

—Mrs. Vandemeyer.

—Sí, pero no nos lo dirá nunca.

—Ah, ahí es donde yo intervengo. Creo bastante posible conseguir que Mrs. Vandemeyer me diga lo que deseo saber.

—¿Cómo? —Tuppence abrió mucho los ojos.

—Oh, pues preguntándoselo —replicó sir James—. Ya sabe, así es como lo hacemos.

Tabaleó con sus dedos sobre la mesa, y Tuppence volvió a sentir el inmenso magnetismo que irradiaba aquel hombre.

—¿Y si no se lo dice? —preguntó Julius de pronto.

—Creo que me lo dirá. Tengo un par de palancas poderosas. No obstante, si fracasara, siempre nos queda la posibilidad del soborno.

—Claro. ¡Y ahí es donde intervengo yo! —exclamó Julius dejando caer su puño sobre la mesa—. Puede usted contar conmigo de ser necesario hasta un millón de dólares. ¡Sí, señor, un millón de dólares!

—Mister Hersheimmer —dijo al fin—, ésa es una suma muy elevada.

—Es lo que imagino que tendrá que pujar. A esa clase de gente no se le puede ofrecer cuatro perras.

—Según el cambio actual, representan doscientas cincuenta mil libras.

—Eso es. Tal vez cree usted que hablo de boquilla, pero puedo entregarle esa cantidad en seguida y algo más por sus honorarios.

Sir James enrojeció ligeramente.

—No es mi intención cobrarle, mister Hersheimmer. No soy un detective privado.

—Lo siento. Creo que me he precipitado, pero tengo una extraña sensación acerca de la cuestión del dinero. Días pasados quise ofrecer una gran recompensa para obtener noticias de Jane, pero su organización de Scotland Yard me hizo desistir. Dijeron que no era aconsejable.

—Y probablemente tenían razón —replicó sir James.

—Pero lo que dice Julius es verdad —intervino Tuppence—. No le toma el pelo. Tiene *montones* de dólares.

—Mi padre los fue amontonando —explicó Julius—. Ahora, pasemos a la cuestión. ¿Cuál es su idea?

Sir James estuvo reflexionando durante unos cuantos minutos.

—No hay tiempo que perder. Cuanto antes empecemos mejor. —Se volvió a Tuppence—. ¿Sabe si Mrs. Vandemeyer cenará fuera esta noche?

—Sí, creo que sí, pero no regresará tarde, porque no se ha llevado las llaves de casa.

—Bien. Entonces yo iré a verla a eso de las diez. ¿A qué hora tiene que volver usted?

—De nueve y media a diez, aunque también podría regresar antes.

—No debe hacerlo bajo ningún concepto. Si no llega a la hora establecida podría despertar sospechas. Vuelva a las nueve y media. Yo iré a las diez. Hersheimmer podría esperar abajo en un taxi.

—Tiene un Rolls-Royce nuevo —dijo Tuppence con orgullo.

—Tanto mejor. Si tengo la suerte de conseguir que me dé la dirección, podremos ir en seguida. Y si fuera necesario nos llevaríamos con nosotros a Mrs. Vandemeyer. ¿Comprendido?

—Sí. —Tuppence se puso en pie—. ¡Oh, me siento mucho mejor!

—No se haga demasiadas ilusiones, miss Tuppence, pero váyase tranquila.

Julius se volvió hacia el abogado.

—Entonces lo pasaré a recoger con el coche a eso de las nueve y media. ¿Le parece bien?

—Me parece bien. ¿Para qué vamos a tener dos coches esperando? Ahora, miss Tuppence, mi consejo es que cene a gusto y no piense en lo que pueda suceder.

Les estrechó la mano a los dos y momentos después estaban en la calle.

—¿No es un encanto? —dijo Tuppence extasiada mientras bajaban la escalera—. ¡Oh, Julius! ¿No es un encanto?

—Pues admito que es muy agradable y que yo estaba equivocado al negarme a venir. Oiga, ¿regresamos directamente al Ritz?

—Creo que preferiría andar un poco. Me siento muy excitada. Déjeme en el Hyde Park, ¿quiere? A menos que quiera acompañarme.

Julius movió la cabeza.

—Tengo que ir a poner gasolina —explicó—. Y enviar un par de telegramas.

—Muy bien. Me reuniré con usted en el Ritz a las siete. Tendremos que cenar arriba. No puedo exhibirme por ahí con estas ropas.

—Claro, diré a Félix que me ayude a escoger el menú. Es un jefe de camareros de tomo y lomo. Hasta luego.

Después de mirar su reloj, Tuppence echó a andar rápidamente. Eran cerca de las seis. Recordó que no había merendado, pero se sentía demasiado excitada para pensar en comer. Anduvo hasta Kensington Gardens, donde aminoró el paso, sintiéndose mejor gracias al fresco y al ejercicio. No era sencillo seguir el consejo de sir James y no pensar en los posibles acontecimientos de aquella noche. A medida que se iba aproximando a Hyde Park Corner la tentación de regresar a South Audley Mansions se le fue haciendo irresistible.

De todas formas, decidió que no haría ningún daño *echar un vistazo* al edificio. Quizá de este modo se resignaría a esperar pacientemente hasta las diez.

South Audley Mansions tenían el mismo aspecto de siempre. Tuppence apenas sabía precisar lo que había imaginado, pero la vista de sus rojos ladrillos apaciguó un tanto su creciente e inexplicable inquietud. Iba ya a marcharse cuando oyó un silbido, y el fiel Albert salió corriendo de la casa para reunirse con ella.

Tuppence frunció el ceño. No entraba en su programa llamar la atención en aquel vecindario, pero Albert estaba rojo de excitación.

—Oiga, señorita, se marcha.

—¿Quién se marcha? —preguntó Tuppence, irritada.

—Esa individua, Rita la Rápida, Mrs. Vandemeyer. Está haciendo el equipaje y acaba de enviarme a buscar un taxi.

—¿Qué? —Tuppence le asió del brazo.

—Es la verdad, señorita. Pensé que usted tal vez no lo sabría.

—Albert —exclamó Tuppence—, eres magnífico. A no ser por ti la hubiéramos perdido.

Albert enrojeció de satisfacción al oír aquel elogio.

—No hay tiempo que perder —dijo Tuppence cruzando la calle—. Tengo que detenerla. A toda costa tiene que quedarse hasta que... —se interrumpió—. Albert, ¿hay teléfono en la portería?

El muchacho negó con la cabeza.

—No. Casi todos los apartamentos tienen el suyo, señorita. Pero hay una cabina al volver la esquina.

—Ve allí entonces y telefonea al Hotel Ritz. Preguntas por mister Hersheimmer y le dices que venga en seguida con sir James, pues Mrs. Vandemeyer intenta escaparse. Si no lo encuentras, llamas a sir James Peel Edgerton, encontrarás su número en la guía, y le dices lo que ocurre. No te olvidarás de los nombres, ¿verdad?

Albert los repitió varias veces.

—Confíe en mí, señorita. Todo irá bien. Pero ¿y usted? ¿No tiene miedo de quedarse con ella?

—No, no te preocupes. Pero ve y telefonea. Deprisa.

Aspirando el aire con fuerza, Tuppence penetró en el edificio y tocó el timbre de la puerta número veinte. ¿Cómo iba a entretener a Mrs. Vandemeyer hasta que llegaran los dos hombres? Lo ignoraba, pero era preciso hacerlo como fuese, y sola. ¿Cuál sería la causa de aquella marcha repentina? ¿Es que Mrs. Vandemeyer sospechaba de ella? Era inútil hacer cábalas. Tuppence presionó el timbre con energía. Tal vez la cocinera pudiera decirle algo.

No ocurrió nada y, tras esperar unos minutos, Tuppence volvió a llamar, manteniendo el dedo sobre el timbre algún tiempo. Al fin oyó pasos y un momento después Mrs. Vandemeyer en persona le abrió la puerta, enarcando las cejas al verla.

—¿Usted?

—Tengo dolor de muelas, señora —dijo Tuppence con voz débil—. De modo que pensé que lo mejor era volver a casa y pasar la tarde tranquila.

Mrs. Vandemeyer nada dijo, pero se echó hacia atrás para dejarla entrar.

—Qué mala suerte —dijo con voz fría—. Será mejor que se acueste.

—Oh, estaré bien en la cocina, señora. La cocinera...

—La cocinera no está —dijo Mrs. Vandemeyer con extraña entonación—. La he despedido. De modo que será mejor que se acueste.

Tuppence sintió miedo de repente. Había un timbre en la voz de Mrs. Vandemeyer que no le gustaba nada, y además la iba empujando hacia el pasillo. Tuppence se volvió.

—No quiero...

Entonces sintió el frío contacto de un cañón de acero en la sien y la voz de Mrs. Vandemeyer se elevó fría y amenazadora:

—¡Maldita chiquilla! ¿Crees que no lo sé? No, no contestes. Si te resistes o gritas, te mataré como a un perro.

El cañón de acero se incrustó con más fuerza en su sien.

—Ahora, en marcha —continuó Mrs. Vandemeyer—. Por aquí... iremos a mi habitación. Dentro de un momento, cuando haya terminado contigo, te acostarás como te he dicho, Y dormirás... ¡Oh, sí, mi pequeña espía, vaya si dormirás!

Había cierta malvada ironía en las palabras de Mrs. Vandemeyer que no le gustó lo más mínimo. Por el momento no podía hacer nada y caminó obediente hasta el dormitorio. La pistola no se apartó de su frente. La habitación estaba en completo desorden, había trajes por todas partes y una maleta y una sombrerera a medio llenar en el suelo.

Tuppence se rehízo con esfuerzo y, aunque su voz tembló un tanto, dijo con valiente:

—Vamos, esto es una tontería. No puede matarme. Todo el mundo oiría la detonación.

—Correré el riesgo —dijo Mrs. Vandemeyer en tono festivo—. Pero mientras no grites pidiendo ayuda... no te ocurrirá nada... y no creo que lo hagas. Eres una chica inteligente. Me *engañaste* muy bien, ¡No sospeché de ti! Por lo tanto, no dudo que comprenderás perfectamente que ahora estoy yo encima y tú debajo... Siéntate en la cama. Pon las manos encima de la cabeza y, si en algo aprecias tu vida, no las muevas.

Tuppence obedeció. Su buen sentido le aconsejaba aceptar la situación. Si gritaba pidiendo socorro, había muy pocas probabilidades de que la oyera nadie, mientras que lo más seguro era que Mrs. Vandemeyer disparase. Entretanto, cada minuto que transcurriera sería valioso.

Mrs. Vandemeyer dejó el revólver sobre el tocador, al alcance de su mano y, sin apartar la vista de Tuppence, por temor a que se moviera, cogió una botellita que estaba sobre el mármol y vació parte de su contenido en un vaso que acababa de llenar de agua.

—¿Qué es eso? —preguntó Tuppence.

—Algo que te hará dormir profundamente.

Tuppence palideció un tanto.

—¿Va a envenenarme? —preguntó en un susurro.

—Tal vez —dijo Mrs. Vandemeyer sonriendo.

—Entonces no lo beberé —dijo la muchacha con firmeza—. Prefiero morir de un balazo. Al fin y al cabo así haría ruido y tal vez lo oiría alguien. Pero no voy a dejarme matar como un cordero.

Mrs. Vandemeyer golpeó el suelo con el pie.

—¡No seas tonta! ¿De veras crees que quiero dejar un crimen tras de mí? Si tuvieras un poco de sentido común comprenderías que no entra en mis planes el envenenarte. Es una droga para hacerte dormir, nada más. Te despertarás mañana por la mañana como mucho. Sencillamente quiero ahorrarme las molestias de atarte y amordazarte. Te ofrezco otra alternativa... y no te gusta. Pero te aseguro que puedo ser muy dura si me lo propongo. De modo que bébetelo como una buena chica y no te pasará nada.

En el fondo de su corazón, Tuppence la creía. Sus argumentos eran bastante verosímiles. Era el medio más sencillo de quitarla de en medio durante algún tiempo. Sin embargo, no se avenía a la idea de que la durmiera sin luchar por su libertad. Comprendía que, una vez se marchara Mrs. Vandemeyer, con ella desaparecería la última esperanza de encontrar a Tommy.

Tuppence poseía una mente rápida, y todas estas ideas pasaron por su cerebro como un relámpago. Al ver una posibilidad, aunque remota, decidió arriesgarlo todo en un esfuerzo supremo.

Se arrojó a los pies de Mrs. Vandemeyer asiéndose frenéticamente a sus faldas.

—No le creo —gimió—. Es veneno... sé que es veneno. Oh, no me obligue a beberlo... —Su voz adquirió un tono histérico—. ¡No me obligue a beberlo!

Mrs. Vandemeyer, con el vaso en la mano, al ver la reacción, la miró torciendo el gesto.

—¡Levántate, estúpida! No te quedes ahí haciendo la tonta. No comprendo cómo has tenido temple para representar tu papel —golpeó el suelo con el pie—. ¡Te digo que te levantes!

Pero Tuppence no la soltó y continuó con los sollozos, al tiempo que intercalaba frases incoherentes pidiendo clemencia. Se trataba de ganar tiempo. Además, de este modo se aproximaba decidida e imperceptiblemente a su objetivo.

Mrs. Vandemeyer lanzó una exclamación de impaciencia y de un tirón le hizo poner de rodillas.

—¡Bébetelo en seguida!

Con ademán imperioso acercó el vaso a los labios de Tuppence.

Ésta lanzó el último gemido desesperado.

—¿Me jura que no me hará daño? —preguntó.

—Pues claro que no. No seas tonta.

—¿Lo jura?

—Sí, sí —dijo la otra con gran impaciencia—. Te lo juro.

Tuppence cogió el vaso con mano temblorosa.

—Muy bien. —Abrió la boca lentamente.

Mrs. Vandemeyer exhaló un suspiro de alivio y por un momento quedó desprevenida. Entonces, Tuppence, rápida como una exhalación, le arrojó el contenido del vaso a la cara con toda la fuerza que pudo, aprovechando el asombro momentáneo para apoderarse del revólver que estaba sobre el tocador. Un instante después apuntaba el arma al corazón de Mrs. Vandemeyer sin que le temblara la mano lo más mínimo.

En aquel momento victorioso, Tuppence alardeó de su triunfo de un modo algo antideportivo.

—¿Y ahora quién está arriba y quién abajo? —exclamó.

Su rival tenía el rostro descompuesto por la ira; por un momento pensó que iba a saltar sobre ella, lo cual hubiera colocado a Tuppence en un dilema desagradable, puesto que significaría tener que disparar el revólver.

Sin embargo, Mrs. Vandemeyer logró dominarse y al fin una sonrisa diabólica se extendió por su rostro.

—¡No eres tan tonta, después de todo! Lo hiciste muy bien, pequeña, pero me las pagarás... ¡Oh, sí, me las pagarás! ¡Tengo muy buena memoria!

—Me sorprende que se deje engañar tan fácilmente —dijo Tuppence con enojo—. ¿Es que pensó que era de esa clase de chicas capaz de arrojarse al suelo pidiendo clemencia?

—¡Ya lo harás... algún día! —dijo la otra con tono significativo.

La fría malignidad de su porte hizo que un estremecimiento recorriera la espina dorsal de Tuppence, que no estaba dispuesta a demostrarlo.

—¿Qué le parecería si nos sentáramos? —dijo complacida—. Nuestra actitud actual es un tanto melodramática. No... en la cama no. Acerque esa silla a la mesa; así está bien. Yo me sentaré al otro lado con el revólver ante mí... por si acaso. Espléndido. Ahora hablemos.

—¿De qué? —preguntó Mrs. Vandemeyer en tono sombrío.

Tuppence la contempló pensativa unos instantes. Recordaba varias cosas. Las palabras de Boris: «Creo que serías capaz de... *vendernos*...», y su respuesta: «El precio tendría que ser enorme», hecha en tono ligero, pero, ¿no habría en el fondo algo de verdad? ¿Acaso Whittington no le había preguntado: «¿Quién ha estado hablando, Rita?» ¿Sería Rita Vandemeyer el punto débil de la armadura de mister Brown?

Con los ojos muy fijos en el rostro de Rita, Tuppence respondió sin alterarse:

—De dinero...

Mrs. Vandemeyer pegó un respingo. Era evidente que no esperaba aquella contestación.

—¿Qué quieres decir?

—Se lo diré. Acaba usted de decir que tiene buena memoria. ¡Pues la buena memoria no es tan útil como una buena bolsa! Me atrevo a creer que le complace planear toda clase de cosas terribles para vengarse de mí, pero ¿*resultaría práctico*? La venganza no satisface. Todo el mundo lo dice. En cambio el dinero... —Tuppence expuso su tema preferido—. Bueno... el dinero sí que llena, ¿no es cierto?

—¿Crees que soy de esas mujeres que venden a sus amigos? —dijo Mrs. Vandemeyer con rencor.

—Sí —replicó Tuppence en el acto—, si el precio es lo bastante elevado.

—¡Por unos cientos de libras!

—No —dijo Tuppence—. ¡Yo le ofrezco... cien mil!

Su espíritu ahorrativo le impidió mencionar el millón de dólares ofrecido por Julius.

El rostro de Mrs. Vandemeyer se cubrió de rubor.

—¿Qué has dicho? —preguntó, jugueteando nerviosamente con el broche que llevaba prendido en el pecho.

Tuppence comprendió en seguida que había mordido el anzuelo y por primera vez sintió vergüenza de su amor al dinero, lo cual le daba cierto parecido con la mujer que tenía enfrente.

—Cien mil libras —repitió Tuppence.

El brillo desapareció de los ojos de Rita que se reclinó en su silla.

—¡Bah! —dijo—. No las tienes.

—No —admitió Tuppence—. No las tengo... pero sé quien las tiene.

—¿Quién?

—Un amigo mío.

—Debe de ser millonario —observó Rita sin gran convencimiento.

—Pues a decir verdad lo es. Es norteamericano y las pagará sin chistar. Puede considerarlo como una proposición seria.

Mrs. Vandemeyer volvió a erguirse.

—Me siento inclinada a creerte —dijo despacio.

Se hizo un silencio y al cabo Rita alzó los ojos.

—¿Y qué es lo que desea saber... ese amigo tuyo?

Tuppence vaciló un momento, pero el dinero era de Julius y sus intereses eran lo primero.

—Desea saber dónde está Jane Finn —dijo sin arredrarse.

Mrs. Vandemeyer no demostró sorpresa.

—No estoy muy segura de dónde se encuentra en estos momentos —replicó.

—¿Pero podría averiguarlo?

—¡Oh, sí! —repuso Rita con descuido—. No existe la menor dificultad.

—Luego... —la voz de Tuppence tembló—... hay un muchacho... un amigo mío. Temo que le haya ocurrido algo a través de su camarada Boris.

—¿Cómo se llama?

—Tommy Beresford.

—Nunca le oí nombrar, pero le preguntaré a Boris. Él me dirá todo lo que sepa.

—Gracias. —Tuppence sintió levantar su ánimo y

eso le impulsó a mostrarse más audaz—. Hay otra cosa más.

—¿Qué es?

Tuppence se inclinó hacia adelante y bajó la voz.

—¿*Quién es mister Brown*?

Sus ojos advirtieron la repentina palidez de aquel hermoso rostro. Con un esfuerzo, Rita procuró adoptar su actitud anterior, pero su intento resultó una parodia. Se encogió de hombros.

—No puedes saber gran cosa de nosotros si ignoras que *nadie sabe quién es mister Brown*.

—Usted lo sabe —replicó Tuppence sin alterarse.

Una vez más, el color desapareció del rostro de la mujer.

—¿Por qué lo crees así?

—No lo sé —dijo la muchacha con toda sinceridad—. Pero estoy segura.

Mrs. Vandemeyer permaneció con la mirada perdida durante largo rato.

—Sí —dijo al fin con voz ronca—. Lo sé. *Yo* era hermosa, ¿comprendes...? Muy hermosa...

—Lo es todavía —dijo Tuppence con admiración.

Rita movió la cabeza con un brillo extraño en sus ojos azul eléctrico.

—Pero no lo bastante —dijo en voz baja y peligrosa—. ¡No lo bastante! Y últimamente, algunas veces he tenido miedo... ¡Es peligroso saber demasiado! —Se inclinó sobre la mesa—. ¡Júrame que mi nombre no aparecerá en todo esto... que nadie lo sabrá!

—Lo juro. Y, una vez lo atrapen, estará fuera de peligro.

Una expresión de terror apareció en el rostro de Mrs. Vandemeyer.

—¿Lo estaré? ¿De veras? —Asió a Tuppence del brazo—. ¿Me aseguras que obtendré el dinero?

—Puede estar segura.

—¿Cuándo me lo darán? No hay tiempo que perder.

—Este amigo mío no tardará en venir. Tal vez tenga

que enviar un telegrama, o algo por el estilo. Pero no habrá retraso... es un hombre muy activo.

El rostro de Mrs. Vandemeyer mostró una expresión decidida.

—Lo haré. Es una gran suma de dinero, y además... —sonrió de un modo extraño—, ¡no es inteligente dejar de lado a una mujer como yo!

Durante unos instante continuó sonriendo y tabaleó con los dedos sobre la mesa. De pronto se sobresaltó y su cara palideció.

—¿Qué ha sido eso?

—No he oído nada.

Mrs. Vandemeyer miró temerosa a su alrededor.

—Si estuviera alguien escuchando...

—Tonterías. ¿Quién podría ser?

—Incluso las paredes tienen oídos —susurró la otra—. Te digo que estoy asustada. ¡Tú no lo conoces!

—Piense en las cien mil libras —dijo Tuppence para tranquilizarla.

Mrs. Vandemeyer se pasó la lengua por sus labios resecos.

—Tú no lo conoces —repitió con voz ronca—. ¡Es... ah!

Con un grito de terror se puso en pie. Señaló con el brazo extendido por encima de la cabeza de Tuppence. Luego cayó al suelo desmayada.

Tuppence se volvió a ver lo que la había sobresaltado.

En el umbral de la puerta estaban sir James Peel Edgerton y Julius Hersheimmer.

Capítulo XIII

NOCHE EN VELA

Sir James apartó a Julius y corrió a socorrer a la mujer caída.

—Es el corazón —dijo—. Debe haberse asustado al vernos aparecer tan de repente. Traigan coñac... deprisa o se nos escapará de entre los dedos.

Julius se aproximó al tocador.

—Ahí no —le indicó Tuppence por encima de su hombro—, en el aparador del comedor. Es la segunda puerta del pasillo.

Tuppence y sir James levantaron a Mrs. Vandemeyer y la llevaron a la cama. Le rociaron la cara con agua, pero sin resultado. El abogado le tomó el pulso.

—Apenas le late —musitó—. Ojalá ese joven llegue pronto con el coñac.

En aquel momento Julius entraba en la habitación llevando en la mano un vaso a medio llenar, que entregó a sir James. Mientras Tuppence le sostenía la cabeza, el abogado intentó introducir el líquido entre sus labios cerrados.

Al fin la mujer abrió los ojos, y Tuppence le acercó el vaso a los labios.

—Bébase esto.

Mrs. Vandemeyer obedeció. El coñac volvió el color a sus pálidas mejillas, haciéndola revivir como por arte de magia. Trató de incorporarse... pero volvió a desplomarse sobre la cama con un gemido de dolor, mientras se llevaba la mano a su costado.

—Es el corazón —susurró—. No debo hablar.

Cerró los ojos.

Sir James mantuvo los dedos sobre su muñeca durante un minuto más, y luego apartó la mano con gesto de aprobación.

—Ahora está mejor.

Los tres se apartaron de la cama hablando en voz baja. Todos eran conscientes de una sensación de desengaño. De momento era imposible pensar en cualquier clase de interrogatorio y, por lo tanto, estaban cruzados de brazos, sin poder hacer nada.

Tuppence les contó que se había mostrado dispuesta a descubrir la identidad de mister Brown, así como a averiguar y revelar el secreto de Jane Finn. Julius la felicitó.

—¡Estupendo, miss Tuppence! Me figuro que las cien mil libras le parecerán tan bien por la mañana como le parecieron esta noche. No tenemos por qué preocuparnos. ¡De todas formas apuesto a que no hablará sin el dinero!

Desde luego, sus palabras rebosaban sentido común y Tuppence se sintió algo más animada.

—Lo que usted dice es cierto —dijo sir James pensativo—. No obstante debo confesar que desearía no haberlas interrumpido. Pero ahora no tiene remedio y sólo nos queda aguardar a mañana.

Contempló la figura inerte sobre la cama. Mrs. Vandemeyer permanecía inmóvil con los ojos cerrados. Movió la cabeza con pesar.

—Bien —dijo Tuppence en un intento por levantar los ánimos de todos—, hay que esperar a mañana, nada más. Pero no creo que debamos abandonar ahora el apartamento.

—¿Y si dejamos de guardia a ese brillante joven amigo suyo?

—¿Albert? Supongamos que intenta marcharse de nuevo... Albert no podrá detenerla.

—Supongo que no querrá alejarse mucho de los dólares.

—Es posible, pero parecía muy asustada de mister Brown.

—¿Qué? ¿De veras estaba asustada?

—Sí. Miraba a todas partes y dijo que incluso las paredes oyen.

—Tal vez se refería a un dictáfono —dijo Julius interesado.

—Miss Tuppence tiene razón —replicó sir James en voz baja—. No debemos dejar el apartamento... aunque sólo sea para proteger a Mrs. Vandemeyer.

Julius le miró.

—¿Cree que vendrá a por ella... esta noche? ¿Cómo puede saberlo él?

—Olvida su propia insinuación de que puede haber un dictáfono —repuso sir James con sequedad—. Tenemos un adversario formidable, y creo que, si andamos con cuidado, existen muchas probabilidades de que caiga en nuestras manos. Toda precaución es poca. Tenemos un testigo importante, pero debemos protegerlo. Sugiero que miss Tuppence vaya a acostarse, y usted y yo, mister Hersheimmer, nos repartiremos la vigilancia.

Tuppence se disponía a protestar, pero se le ocurrió mirar hacia la cama y vio a Mrs. Vandemeyer con los ojos entreabiertos y con tal expresión mezcla de miedo y maldad en su rostro que se le helaron las palabras en los labios.

Por un momento se preguntó si el ataque al corazón habría sido una comedia pero, al recordar la palidez mortal, apenas podía dar crédito a su suposición. Mientras la miraba, aquella expresión desapareció como por arte de magia, y Rita volvió a quedar inmóvil como antes. Por un momento creyó haberlo soñado, pero no obstante resolvió estar alerta.

—Bien —dijo Julius—. Supongo que de todas formas lo mejor será salir de esta habitación.

Los otros estuvieron de acuerdo y sir James volvió a tomar el pulso a Mrs. Vandemeyer.

—Perfectamente normal —dijo a Tuppence en voz baja—. Estará bien después de una noche de descanso.

La muchacha vaciló un momento junto a la cama. La intensidad de la expresión que sorprendiera en aquel rostro la había impresionado mucho.

Mrs. Vandemeyer alzó los párpados; al parecer luchaba por hablar y la joven se inclinó sobre ella.

—No me dejen... —pareció susurrar, e incapaz de continuar musitó algo que sonó como... «dormir». Luego, volvió a intentarlo.

Tuppence se acercó más aún. La voz era apenas un susurro.

—Mister... Brown... —Se detuvo.

Pero los ojos semicerrados parecían seguir enviando un mensaje agonizante.

Movida por un impulso repentino la joven dijo a toda prisa.

—No saldré del apartamento y estaré despierta toda la noche.

Con inmenso alivio los párpados volvieron a cerrarse. Al parecer Mrs. Vandemeyer dormía, pero sus palabras habían despertado una nueva inquietud en Tuppence. ¿Qué quiso significar con «mister Brown»? La muchacha se sorprendió mirando recelosa por encima de su hombro. El enorme armario parecía suficiente para que un hombre se escondiera en él. Avergonzada, Tuppence lo abrió para inspeccionar su interior. ¡Nadie... por supuesto! Se agachó para mirar debajo de la cama. No había otro lugar donde esconderse.

Tuppence sacudió los hombros de aquella forma tan suya. ¡Era absurdo, se estaba dejando llevar por los nervios! Lentamente salió de la habitación. Julius y sir James hablaban en voz baja. Sir James se volvió hacia ella.

—Cierre la puerta con llave, Tuppence, y guárdela. Hay que evitar a todo trance que nadie entre en esa habitación.

Su seriedad la impresionó, y Tuppence se sintió menos avergonzada de su ataque de «nervios».

—Oiga —observó Julius de pronto—, ¿y el botones amigo de Tuppence? Creo que será mejor bajar a tranquilizarlo. Es un buen muchacho, Tuppence.

—A propósito, ¿cómo entraron ustedes? —preguntó Tuppence de pronto—. Me olvidé de preguntárselo.

—Pues, Albert me llamó por teléfono. Corrí a buscar a sir James y vinimos en seguida. Ese muchacho nos estaba esperando, y temía que le hubiese ocurrido algo. Había estado escuchando detrás de la puerta, pero no pudo oír nada. Nos sugirió que subiéramos en el montacargas en vez de llamar a la puerta. Entramos por la cocina y vinimos directamente a buscarla. Albert sigue abajo y debe estar loco de impaciencia. —Y con estas palabras se marchó sin más demora.

—Miss Tuppence —dijo sir James—, usted conoce este apartamento mejor que yo. ¿Dónde sugiere que nos instalemos?

Tuppence meditó unos instantes.

—Creo que lo más cómodo será el saloncito de miss Vandemeyer —dijo al fin, y lo acompañó hasta allí.

Sir James miró a su alrededor satisfecho.

—Aquí estaremos muy bien, y ahora, mi querida jovencita, vaya a acostarse y duerma un poco.

Tuppence movió la cabeza decidida.

—No podría, gracias, sir James. ¡Soñaría toda la noche con mister Brown!

—Pero estará muy cansada, jovencita.

—No, prefiero quedarme levantada... de verdad.

El abogado se dio por vencido.

Julius apareció pocos minutos más tarde, después de haber tranquilizado a Albert y recompensado con gene-

rosidad sus servicios y, habiendo fracasado también al
tratar de persuadir a Tuppence para que se acostase
unas pocas horas, dijo con decisión:

—Por lo menos tiene que comer algo. ¿Donde está la
despensa?

Tuppence se lo dijo y, a los pocos minutos, Julius regresó con un pastel de carne frío y tres platos.

Después de haber comido, Tuppence se sintió inclinada a desdeñar sus imaginaciones de una hora atrás.
El poder del dinero no podía fallar.

—Y ahora, miss Tuppence —dijo sir James—, nos
gustaría escuchar sus aventuras.

—Eso es —convino Julius.

La joven relató lo sucedido con cierta complacencia.
De vez en cuando Julius intercalaba un «bravo». Sir
James no dijo nada hasta que hubo terminado, y entonces su «bien hecho, miss Tuppence», la hizo enrojecer de satisfacción.

—Hay una cosa que no veo clara —dijo Hersheimmer—. ¿Qué le impulsó a marcharse?

—No lo sé —confesó Tuppence.

Sir James se frotó la barbilla pensativo.

—La habitación estaba en gran desorden, como si su
marcha hubiera sido impremeditada... como si la hubieran avisado de pronto.

—Supongo que mister Brown —dijo Julius.

El abogado le miró fijamente durante un buen
rato.

—¿Por qué no? —dijo—. Recuerde que a usted ya lo
engañó en una ocasión.

Julius enrojeció de rabia.

—Me pone fuera de mí cada vez que recuerdo cómo
le entregué la fotografía de Jane. ¡Si vuelvo a tenerla en
mis manos... me pegaré a ella como una lapa!

—Es una contingencia muy remota —dijo el otro
con sequedad.

—Me figuro que tiene razón —dijo Hersheimmer
con franqueza—. Y de todas formas, lo que busco es el

original. ¿Dónde cree usted que puede estar, sir James?
El abogado movió la cabeza.

—Es imposible decirlo. Pero tengo una ligera idea de dónde ha estado.

—¿Sí? ¿Dónde? —Sir James sonrió.

—En el escenario de sus aventuras nocturnas, la clínica de Bournemouth.

—¿Allí? Imposible. Ya pregunté.

—No, querido amigo, usted preguntó si había estado allí alguien que se llamaba Jane Finn. Ahora bien, si la muchacha estuvo allí, es casi seguro que estaría bajo un nombre supuesto.

—Bien por usted —exclamó Julius—. ¡No se me había ocurrido pensarlo!

—Pues es bastante lógico —replicó el otro.

—Quizás el médico esté mezclado también en esto —sugirió Tuppence.

—No lo creo. En seguida me fue simpático. No, estoy seguro de que el doctor Hall no tiene nada que ver en todo eso.

—¿Hall ha dicho usted? —preguntó sir James—. Es curioso... muy curioso.

—¿Por qué? —quiso saber la joven.

—Porque da la casualidad de que lo he visto esta mañana. Lo conozco superficialmente desde hace algunos años, y esta mañana me he tropezado con él en la calle. Me dijo que estaba en el hotel Metropole. —Se volvió a Julius—. ¿No le dijo que iba a venir a la ciudad?

Julius movió la cabeza.

—Es curioso —musitó sir James—. Esa tarde usted no mencionó su nombre o de otro modo yo le hubiera enviado a verle con mi tarjeta para obtener más información.

—Soy un estúpido —exclamó el joven con inusitada humildad—. Debí haber pensado en lo del nombre falso.

—¿Cómo podía pensar en nada después de caerse

del árbol? —exclamó Tuppence—. Estoy segura de que cualquier otro se hubiera matado.

—Bueno, imagino que ahora da lo mismo —dijo Hersheimmer—. Tenemos a Mrs. Vandemeyer bien segura y es todo lo que necesitamos.

—Sí —dijo Tuppence, sin gran convencimiento.

Se hizo un silencio. Poco a poco la magia de la noche comenzó a hacer mella en sus ánimos. Se oían crujir los muebles, y ligeros rumores tras las cortinas. De pronto Tuppence se puso en pie con un grito.

—No puedo evitarlo. ¡Sé que mister Brown está en el apartamento! Puedo *sentirlo*.

—¿Por qué lo dice, Tuppence? ¿Por que la puerta del vestíbulo está abierta? Nadie puede haber entrado sin que nosotros lo hubiésemos visto u oído.

—¡No puedo remediarlo! *Presiento* que está aquí.

Miró suplicante a sir James, que replicó muy serio:

—Con la debida deferencia a sus sentimientos, miss Tuppence, y los míos, por descontado, no veo que sea humanamente posible que nadie haya entrado en el apartamento sin que nosotros lo hayamos notado.

La joven quedó algo más consolada con sus palabras.

—Pasar una noche en vela pone nerviosa a cualquiera —confesó.

—Sí —dijo sir James—. Estamos en las mismas condiciones que los que celebran reuniones espiritistas. Quizá si tuviéramos una médium podríamos obtener maravillosos resultados.

—¿Cree usted en el espiritismo? —preguntó Tuppence con los ojos muy abiertos.

El abogado encogió los hombros.

—Sin duda hay una pizca de verdad en todo eso. Pero nada de lo que se pudiera averiguar por medio del espiritismo se sostendría en el banquillo de los testigos.

Pasaron las horas. Con los primeros resplandores del alba, sir James descorrió las cortinas y contemplaron lo que muy pocos londinenses veían, el lento as-

cender del sol y la ciudad dormida. Con la llegada de la
luz, los temores e imaginaciones de la noche pasada
parecían absurdos; Tuppence recuperó su estado de
ánimo habitual.

—¡Hurra! —exclamó—. Va a hacer un día espléndido
y encontraremos a Tommy y a Jane Finn. Y todo saldrá
a pedir de boca. Le pediré a mister Carter que me nombre *dame*[1].

A las siete Tuppence fue a preparar un poco de té, y
volvió con una bandeja en la que había una tetera y
cuatro tazas.

—¿Para quién es la cuarta? —quiso saber Julius.

—Para la prisionera, por supuesto. ¿Supongo que
debo llamarla así?

—Llevarle el té parece un desagravio por lo de anoche —dijo Hersheimmer pensativo.

—Sí, lo es —admitió Tuppence—. Pero de todas formas, se lo llevo. Quizá sea mejor que vengan los dos,
por si se echara sobre mí, o algo así. No sabemos de
qué humor se despertará.

Sir James y Julius la acompañaron hasta la puerta.

—¿Dónde está la llave? Oh, claro, la tengo yo.

La introdujo en la cerradura y, antes de abrir, se detuvo.

—Supongamos que se hubiera escapado... —murmuró en un susurro.

—Es imposible —replicó Julius para tranquilizarla.

Sir James no dijo nada.

Tuppence aspiró aire profundamente y entró exha-
lando un suspiro de alivio al ver a Mrs. Vandemeyer en
la cama.

—Buenos días —le dijo en tono alegre—. Le traigo
un poco de té.

Mrs. Vandemeyer no respondió. Tuppence dejó la

1. Título que se da a la esposa o a la hija de un lord. (*N. del T.*)

taza sobre la mesita de noche y fue a descorrer las cortinas. Cuando se volvió Mrs. Vandemeyer aún no había hecho movimiento alguno. Con un temor reprimido, Tuppence se aproximó a la cama y la mano que levantó estaba fría como el hielo... Ahora Mrs. Vandemeyer ya no hablaría...

Su grito atrajo a los otros. Pocos minutos después no cabía la menor duda. Mrs. Vandemeyer estaba muerta... debía estarlo desde hacía varias horas. Sin duda falleció en pleno sueño.

—¿No es tener mala suerte? —exclamó Julius desesperado.

El abogado estaba tranquilo, pero sus ojos mostraban un brillo peculiar.

—Sí es que es mala suerte... —replicó.

—¿Usted cree...? Pero si es imposible que haya entrado nadie.

—Sí —admitió el abogado—. No veo cómo han podido entrar. Y no obstante... cuando está a punto de traicionar a mister Brown, muere. ¿Es sólo una coincidencia?

—¿*Pero cómo*?

—Sí. ¿Cómo? Eso es lo que debemos averiguar. —Permaneció unos instantes acariciándose la barbilla y repitió sin alterarse—: Tenemos que averiguarlo.

Tuppence sintió que, de ser ella mister Brown, no le hubiera agradado el tono de aquellas sencillas palabras.

Julius miró a la ventana.

—La ventana está abierta —observó—. ¿Usted cree...?

Tuppence movió la cabeza.

—La terraza sólo llega hasta el saloncito y nosotros estábamos allí.

—Pudo haberse deslizado... —insinuó Julius, que no acabó la frase porque sir James le interrumpió.

—Los métodos de mister Brown no son tan rudos. Entretanto debemos llamar a un médico, pero antes de

138 — *Agatha Christie*

hacerlo, ¿hay algo en esta habitación que pueda resultarnos de valor?

Los tres se apresuraron a registrarla. Las cenizas de la chimenea indicaban que Mrs. Vandemeyer había estado quemando papeles antes de intentar emprender el vuelo. No encontraron nada de importancia, aunque miraron también en las otras habitaciones.

—Miren —dijo Tuppence de pronto señalando una pequeña y anticuada caja fuerte que había en la pared—. Creo que debe ser para guardar joyas, pero pudiera haber también algo más.

La llave estaba en la cerradura y Julius la abrió para mirar su interior, cosa en la que empleó algún tiempo.

—Bueno —dijo Tuppence impaciente.

Hubo una pausa antes de que Julius respondiera y luego, retirando la cabeza, volvió a cerrarla.

—Nada —dijo al fin.

A los cinco minutos llegó un joven médico que estuvo muy deferente con sir James, a quien conocía.

—Colapso, o posiblemente una dosis excesiva de alguna droga para dormir. —Olisqueó el aire—. Huele bastante a cloral.

Tuppence recordó el vaso que ella tirara, y se acercó al tocador. Allí encontró la botellita de la que Mrs. Vandemeyer vertiera unas gotas.

Antes estaba llena hasta más de la mitad. Ahora... *estaba vacía.*

Capítulo XIV

UNA CONSULTA

Tuppence quedó sorprendida al ver con qué sencillez y facilidad se arregló todo gracias a los hábiles manejos de sir James. El médico aceptó en seguida la teoría de que Mrs. Vandemeyer había muerto por tomar accidentalmente una dosis excesiva de cloral. Incluso dudaba de que fuese necesario celebrar una encuesta oficial; dijo que, de ser así, se lo comunicaría a sir James, y también que tenía entendido que Mrs. Vandemeyer estaba a punto de partir para el extranjero y que sus sirvientes ya se habían marchado. Sir James y sus jóvenes amigos habían ido a verla cuando se sintió repentinamente mal y, como no quisieron dejarla sola, pasaron toda la noche en el apartamento. ¿Conocían a alguno de sus parientes? Ellos no, pero sir James sugirió que acudiera al abogado de Mrs. Vandemeyer.

Poco después llegó una enfermera para hacerse cargo de todo, y los demás abandonaron el edificio de la difunta.

—¿Y ahora qué? —preguntó Julius con un ademán de desaliento—. Me parece que hemos perdido la pista para siempre.

Sir James se acariciaba la barbilla pensativo.

—No —dijo tranquilo—. Aún queda la posibilidad de que el doctor Hall pueda decirnos algo.

—¡Es verdad! Lo había olvidado.

—Es una posibilidad muy remota, pero no hay que desaprovecharla. Creo haberles dicho que se hospeda en el Metropole. Les sugiero que vayamos a verlo cuanto antes. ¿Les parece bien, después de un buen baño y un buen desayuno?

Quedaron de acuerdo en que Tuppence y Julius regresarían al Ritz y pasarían a recoger a sir James más tarde en el coche. Este plan se llevó a cabo fielmente y, poco después de las once, se detenían ante el Metropole. Preguntaron por el doctor Hall y un botones fue a buscarlo. Llegó pocos minutos después.

—¿Puede dedicarnos unos minutos, doctor Hall? —le dijo sir James en tono amable—. Permítame presentarle a miss Cowley. Creo que ya conoce a mister Hersheimmer.

—¡Ah, sí, mi querido amigo del episodio del árbol! ¿Qué tal el tobillo, bien?

—Creo que ya está curado gracias a su tratamiento.

—¿Y el corazón? ¡Ja! ¡Ja!

—Aún sigo buscando —replicó Julius con prontitud.

—Para ir directamente —al asunto, ¿podríamos hablar con usted en privado? —le preguntó sir James.

—Desde luego. Creo que aquí hay una habitación en la que nadie nos molestará.

Abrió la marcha y los demás lo siguieron. Cuando se sentaron, el doctor miró interrogativamente a sir James.

—Doctor Hall, tengo verdadero interés en encontrar a cierta joven con objeto de obtener su declaración, y tengo motivos para creer que ha estado en su clínica de Bournemouth. Espero no transgredir su ética profesional al interrogarlo sobre este punto.

—Supongo que se trata de alguien que tendrá que atestiguar.

Sir James vaciló un momento, pero al fin replicó:

—Sí.

—Celebraré darle toda la información que me sea

posible. ¿Cuál es el nombre de esa joven? Recuerdo que mister Hersheimmer me preguntó... —Se volvió hacia Julius.

—El nombre importa poco en realidad —dijo sir James—. Seguramente se la enviaron a usted con un nombre falso. Pero me gustaría saber si conoce a una tal Mrs. Vandemeyer.

—¿Mrs. Vandemeyer, de South Audley Mansions? La conozco, aunque superficialmente.

—¿No sabe lo ocurrido?

—¿A qué se refiere?

—¿No sabe que Mrs. Vandemeyer ha muerto?

—¡Dios mío! No tenía la menor idea...! ¿Cuándo ha sido?

—Anoche tomó una dosis excesiva de cloral.

—¿Lo hizo a propósito?

—Se supone que por accidente. Yo no puedo ponerlo en duda. El caso es que esta mañana fue encontrada muerta.

—¡Qué lástima! Era una mujer muy hermosa. Supongo que debía ser amiga suya, puesto que conoce tan bien los detalles.

—Conozco los detalles porque... bueno, fui yo quien encontró el cadáver.

—¿De veras? —dijo el doctor sobresaltado.

—Sí —replicó sir James acariciándose la barbilla pensativo.

—Es una noticia triste, pero ustedes me perdonarán si les digo que no veo qué relación puede tener con el motivo de su visita.

—Pues existe y es ésta: ¿No es cierto que Mrs. Vandemeyer dejó a su cuidado a una joven parienta suya?

Julius se inclinó hacia delante con ansiedad.

—Sí, es cierto —replicó el doctor sin alterarse.

—¿Con el nombre de...?

—Janet Vandemeyer. Me dijeron que era una sobrina de Mrs. Vandemeyer.

—¿Y cuándo se la envió?

—Creo que en junio o en julio de mil novecientos quince.

—¿Era un caso mental?

—Está perfectamente cuerda, si es eso lo que quiere decir. Supe por Mrs. Vandemeyer que la joven iba con ella en el Lusitania cuando fue hundido y que, a consecuencia de ello, había sufrido un *shock*.

—Creo que estamos sobre la pista correcta —dijo sir James mirando a sus acompañantes.

—¡Cómo dije antes, soy un estúpido! —replicó Julius.

El doctor miró a todos con curiosidad.

—Usted dijo que deseaba su declaración —dijo—. Supongamos que no sea capaz de dársela.

—¿Qué? Acaba usted de decir que está perfectamente bien.

—Y lo está. Sin embargo, si desea que declare acerca de algún acontecimiento ocurrido antes del siete de mayo de mil novecientos quince, no podrá hacerlo.

Lo miraron estupefactos, y él asintió de buen humor.

—Es una lástima —dijo—. Una gran lástima, puesto que me figuro que se trata de un asunto de gran importancia, sir James. Pero el caso es que no puede decir nada.

—¿Pero por qué? Dígalo ya, ¿por qué?

El hombrecillo posó su mirada benévola sobre el joven norteamericano.

—Porque Janet Vandemeyer ha perdido por completo la memoria.

—¿*Qué*?

—Es cierto. Es un caso interesante, muy interesante. Y no tan extraordinario como ustedes creen. Han habido otros muchos parecidos. Es el primero que tengo oportunidad de observar y debo confesar que lo he encontrado interesantísimo.

En sus palabras había cierta satisfacción morbosa.

—Y no recuerda nada —dijo sir James, despacio.

—Nada que haya sucedido antes del siete de mayo de mil novecientos quince. Después de esa fecha su memoria es tan buena como la suya o la mía.

—¿Y qué es lo primero que recuerda?

—El desembarco con los supervivientes. Todo lo anterior está en blanco. No recuerda su propio nombre, de dónde venía, ni dónde estaba. Ni siquiera habla su propio idioma.

—Pero eso es, sin duda, muy poco corriente —intervino Julius.

—No, amigo mío. Es muy normal dadas las circunstancias. Su sistema nervioso sufrió un choque muy severo. A menudo la pérdida de memoria acompaña a la conmoción. Desde luego, aconsejé consultar un especialista. Hay uno muy bueno en París que estudia estos casos... pero Mrs. Vandemeyer se opuso pensando que eso podría traer consigo mucha publicidad.

—Me lo imagino —replicó sir James, con un tono severo.

—Yo comprendí su punto de vista, y la muchacha era muy joven... diecinueve años. Hubiera sido una lástima que se hablara de ella... perjudicando su porvenir. Además, no existe un tratamiento especial para estos casos. Sólo hay que esperar.

—¿Esperar?

—Sí, tarde o temprano la memoria vuelve... tan repentinamente como se fue. Pero es probable que la muchacha olvide por completo el período intermedio y vuelva a recordar a partir del momento en que la perdió... al hundirse el *Lusitania*.

—¿Y cuándo espera usted que ocurra?

—Ah, no puedo predecirlo. —El médico se encogió de hombros—. Algunas veces es cuestión de meses, otras incluso se ha tardado veinte años. A veces otro shock realiza el milagro. Uno restituye lo que el otro se llevó.

—Otro *shock*, ¿eh? —dijo Hersheimmer pensativo.

—Exacto. Hubo un caso en Colorado... —La voz del médico se apagó, voluble, sin mucho entusiasmo.

Julius no parecía escucharlo. Había fruncido el ceño, absorto en sus propios pensamientos. De pronto salió de su abstracción y pegó un golpe tremendo sobre la mesa, sobresaltándolos a todos, sobre todo al médico.

—¡Ya lo tengo! Creo que necesitaré su opinión médica acerca de la idea que voy a exponerles. Supongamos que Jane se vuelva a encontrar en la misma situación... que ocurra lo mismo. El submarino, el barco que se hunde, todo el mundo a los botes salvavidas... ¿No recobraría la memoria? ¿No sería una fuerte impresión para su subconsciente, o como lo llamen, capaz de ponerlo de nuevo en funcionamiento?

—Es una sugerencia muy inteligente, mister Hersheimmer, y en mi opinión tendría éxito. Es una lástima que no haya posibilidad de llevarlo a la práctica.

—En realidad, tal vez no, doctor. Pero yo le estoy hablando de simularlo.

—¿Simularlo?

—Pues sí, ¿por qué no? Se alquila un trasatlántico...

—¡Un transatlántico! —murmuró el doctor Hall asombrado.

—Se alquilan pasajeros, un submarino... me parece que ésta será la única dificultad. Los gobiernos se resisten a exhibir sus armas de guerra y no las venden al primero que se presenta. No obstante, creo que podría arreglarlo. ¿Ha oído hablar alguna vez de «soborno»? Pues bien, con ello se llega a todas partes. Reconozco que no tendremos que disparar un torpedo de verdad. Si todo el mundo chilla a su alrededor que el barco se hunde, creo que será suficiente para una joven tan ingenua como Jane. Cuando le hayan puesto el chaleco salvavidas y la introduzcan en un bote, rodeada de actores que interpreten escenas de histerismo... pues volverá a encontrarse como estaba antes del mes de mayo de mil novecientos quince. ¿Qué les parece mi plan?

El doctor Hall miró a Julius y en su mirada se reflejó todo lo que que no podía decirle en ese momento.

—No —dijo Julius, en respuesta a la mirada—. No estoy loco. Lo que acabo de decirle es perfectamente posible. En Estados Unidos se hace a diario para filmar películas. ¿No ha visto usted choques de trenes en la pantalla? ¿Qué diferencia existe entre comprar un tren o comprar un trasatlántico? ¡En cuanto tengamos lo necesario, lo pondremos en práctica!

El doctor Hall consiguió recuperar su voz.

—Pero, ¿y el gasto, mi querido amigo? —su voz se elevó—. ¡El gasto que eso representa! ¡*Sería colosal*!

—El dinero no me preocupa en absoluto —explicó Julius con sencillez.

El doctor Hall volvió su rostro hacia sir James, que le sonrió.

—Mister Hersheimmer está bien provisto... sí, muy bien provisto.

La mirada del médico volvió sobre Julius con una nueva expresión. Ya no era un joven excéntrico que tenía la costumbre de caerse de los árboles, y lo miraba con la deferencia que merece un hombre verdaderamente rico.

—Es un plan muy interesante. Muy interesante —murmuró—. ¡Las películas... claro! La palabra norteamericana para cine. Me temo que nosotros estamos algo atrasados, igual que nuestros métodos. ¿Y de veras tiene intención de llevar a cabo su plan?

—Puede apostar hasta su último dólar que sí.

El médico le creyó... lo cual era un tributo a su nacionalidad. Si un inglés hubiera sugerido semejante cosa hubiera dudado de que estuviese en su sano juicio.

—Desde luego —replicó Julius—. Usted nos trae a Jane y el resto, déjemelo a mí.

—¿Jane?

—Bueno, miss Janet Vandemeyer. ¿Podemos poner una conferencia a su clínica pidiendo que la traigan, o prefiere que vaya a recogerla en mi coche?

El doctor se extrañó.

—Le ruego me perdone, mister Hersheimmer. Creí que había comprendido.

—¿Comprendido, qué?

—Que miss Vandemeyer ya no está bajo mi cuidado.

Capítulo XV

TUPPENCE RECIBE UNA PROPOSICIÓN

J ulius pegó un respingo.

—¿Qué?

—Creí que ya lo sabía.

—¿Cuándo se marchó?

—Déjeme pensar. Hoy es lunes, ¿verdad? Debió ser el miércoles pasado... pues sí, seguro... fue la misma tarde en que usted... se cayó de mi árbol.

—¿Aquella tarde? ¿Antes o después?

—Déjeme recordar... oh, sí, después. Llegó un mensaje muy urgente de Mrs. Vandemeyer. La joven y la enfermera que estaba a su cuidado salieron en el tren de la noche.

Julius volvió a reclinarse en su butaca.

—La enfermera Edith... se marchó con una paciente... lo recuerdo —musitó—. ¡Cielos, haber estado tan cerca!

El doctor Hall pareció asombrado.

—No lo entiendo. ¿La joven no está con su tía?

Tuppence movió la cabeza y estaba a punto de hablar, cuando una mirada de sir James la hizo contenerse. El abogado se puso en pie.

—Le estoy muy agradecido, doctor Hall. Todos le agradecemos lo que nos ha dicho. Me temo que ahora tendremos que volver a buscar la pista de miss Vandemeyer. ¿Y la enfermera que la acompañó? Supongo que no sabrá usted dónde se encuentra.

—No hemos sabido nada más de ella. Tengo entendido que tenía que permanecer con miss Vandemeyer durante una temporada. Pero, ¿qué puede haber ocurrido? ¿Habrán secuestrado a la muchacha?

—Eso está todavía por ver —dijo sir James en tono grave.

—¿No cree usted que debo avisar a la policía? —El médico vacilaba.

—No, no. Seguramente estará con otros parientes.

El doctor no quedó muy satisfecho, pero vio que sir James había resuelto no decir nada más y que intentar sacarle alguna información era perder el tiempo. Se despidió y ellos se fueron del hotel. Durante unos minutos hablaron junto al coche.

—Es enloquecedor —exclamó Tuppence—. Pensar que Julius ha estado varias horas bajo el mismo techo que ella...

—Fui un estúpido —musitó el joven con pesar.

—Usted no podía saberlo —lo consoló Tuppence—. ¿Verdad que no? —le preguntó a sir James.

—Yo le aconsejo que no se atormente —le dijo sir James bondadoso—. Ya sabe que no hay que llorar por la leche derramada...

—Lo grave es... ¿qué vamos a hacer ahora? —agregó Tuppence, siempre práctica.

Sir James se encogió de hombros.

—Puede poner un anuncio pidiendo información sobre la enfermera que acompañó a la joven. Es lo único que se me ocurre, y debo confesar que no espero grandes resultados. Por lo demás, no hay nada más que hacer.

—¿Nada? —Tuppence se desanimó—. ¿Y... Tommy?

—Esperemos que no le haya ocurrido nada —dijo sir James—. Sí, debemos mantener la esperanza.

Pero por encima de la cabeza gacha de Tuppence, la mirada del abogado se cruzó con la de Julius y, con un movimiento casi imperceptible, sacudió la cabeza. Julius comprendió el mensaje. El abogado daba el caso por perdido. Su rostro se ensombreció. Sir James cogió la mano de Tuppence.

—Comuníquenme si averiguan algo más. Me remitirán las cartas.

Tuppence lo contempló con asombro.

—¿Se marcha?

—Ya se lo dije. ¿No lo recuerda? A Escocia.

—Sí, pero yo creí... —la muchacha vacilaba.

Sir James encogió los hombros.

—Mi querida jovencita, yo no puedo hacer nada. Nuestras pistas se han desvanecido en el aire. Puedo asegurarle que no hay nada que hacer. Si surgiera algo nuevo, celebraría aconsejarlos en todo lo que fuera posible.

Sus palabras provocaron en Tuppence un terrible desconsuelo.

—Supongo que tiene razón —dijo la joven—. De todas formas, muchísimas gracias por tratar de ayudarnos. Adiós.

Julius estaba inclinado sobre el coche. Los ojos de sir James reflejaron cierta compasión al ver el rostro desanimado de Tuppence.

—No desespere, miss Tuppence —le rogó en voz baja—. Recuerde que no siempre solo se divierte uno durante las vacaciones. A veces se trabaja un poco también.

Su tono de voz hizo provocó una reacción inmediata en Tuppence. Él sacudió la cabeza mientras sonreía.

—No, no puedo decirle más. Es un gran error hablar demasiado. Recuérdelo. Nunca diga todo lo que sabe... ni siquiera a la persona que más conozca. ¿Ha comprendido? Adiós.

Se alejó. Tuppence permaneció inmóvil mirándolo. Empezaba a comprender los métodos de sir James. De nuevo la había advertido. ¿Era aquello un consejo? ¿Qué se escondía exactamente detrás de sus breves palabras? ¿Significaba que a pesar de todo no abandonaba el caso... que en secreto seguiría trabajando en él mientras...?

Sus reflexiones fueron interrumpidas por Julius, que le decía que subiera al coche.

—Está muy pensativa —comentó Julius mientras arrancaban—. ¿El viejo ha dicho algo más?

Tuppence abrió la boca impulsivamente, pero volvió a cerrarla. En sus oídos resonaron las palabras de sir James: «Nunca diga todo lo que sabe... ni siquiera a la persona que más conozca». Y como un relámpago acudió también a su mente el recuerdo de Julius ante la caja fuerte del piso, su pregunta y la pausa que hizo antes de responder: «Nada». ¿No había nada realmente? ¿O acaso encontró algo que quiso guardar sólo para sí? Si él podía ser reservado, ella también.

—Nada de particular —replicó.

Sintió más que vio la mirada de reojo de Julius.

—Oiga, ¿quiere que demos una vuelta por el parque?

—Como guste.

Durante un rato, caminaron en silencio bajo los árboles. Era un día radiante. El aire fresco devolvió los ánimos a Tuppence.

—Dígame, miss Tuppence, ¿cree usted que llegaré a encontrar a Jane?

Julius habló con desánimo. Aquello era tan raro en él, que la joven lo miró sorprendida. Él asintió.

—Sí, es cierto. Estoy desanimado. Ya lo ha visto: sir James no nos ha dado la menor esperanza. No me es simpático... No sé por qué, pero no nos llevamos bien... Es muy inteligente y me figuro que no lo dejaría si existiera la menor posibilidad de éxito... Dígame, ¿no es cierto? ¿No lo cree así?

Tuppence se sintió algo culpable, pero se aferró a la creencia de que Julius también le había ocultado algo y se mantuvo firme.

—Sugirió que pusiéramos un anuncio pidiendo noticias de la enfermera —le recordó.

—Sí, ¡con un tono de «se perdió hasta la última esperanza»! No... estoy harto. Estoy casi decidido a regresar a Estados Unidos.

—¡Oh, no! —exclamó Tuppence—. Tenemos que encontrar a Tommy.

—Vaya, me había olvidado de Beresford —dijo el joven, contrito—. Es cierto. Tenemos que encontrarlo. Pero después... bueno, he estado soñando despierto desde que empecé la búsqueda... y todos mis sueños se vienen abajo. Estoy harto de ellos. Oiga, miss Tuppence, hay algo que quisiera preguntarle.

—¿Sí?

—¿Qué hay entre usted y Beresford?

—No lo comprendo —replicó Tuppence muy digna, agregando con bastante inconsecuencia—: ¡Y de todas formas, se equivoca!

—¿No están enamorados?

—Desde luego que no —dijo Tuppence con calor—. Tommy y yo somos amigos... pero nada más.

—Me imagino que todas las parejas de enamorados han dicho eso en alguna ocasión —observó Julius.

—¡Tonterías! ¿Tengo aspecto de ser de esas chicas que se enamoran de todos los hombres que conocen?

—No. ¡Su aspecto es más bien de esas chicas de las que todos se enamoran!

—¡Oh! —dijo Tuppence, cogida por sorpresa—. Supongo que eso es un cumplido.

—Por supuesto. Ahora pongamos en claro una cosa.

—¡Está bien... dígalo! Sé hacer frente a los hechos. Supongamos que... haya muerto. ¿Qué?

—Y que todo este asunto se venga abajo. ¿Qué piensa usted hacer?

—No lo sé —dijo Tuppence, compungida.

—Se encontrará muy sola...

—No se preocupe por mí —replicó Tuppence, que no resistía verse compadecida por nadie.

—¿Qué le parece el matrimonio? —le preguntó Julius—. ¿Tiene alguna opinión acerca de él?

—Desde luego, mi intención es casarme —explicó la joven—. Es decir, si... —se detuvo con intención de volverse atrás, pero al fin expuso su credo con valentía— ... si encuentro a un hombre lo bastante rico. Esto es ser franca, ¿no le parece? Supongo que ahora me despreciará.

—Nunca he despreciado el instinto comercial —dijo Hersheimmer—. ¿A qué aspira usted?

—¿Se refiere a si ha de ser alto o bajo? —Tuppence lo miró extrañada.

—No. Me refiero a qué renta... qué fortuna...

—¡Oh! Todavía no lo he pensado.

—¿Qué le parezco yo?

—¿Usted?

—Sí, yo.

—¡Oh, no podría!

—¿Por qué no?

—Le digo que no podría.

—Y yo vuelvo a preguntarle por qué no.

—No me parecería leal.

—No veo la deslealtad. Yo la admiro inmensamente, miss Tuppence, mucho más que a ninguna otra de las jóvenes que he conocido. Es usted muy valiente. Me encantaría poder proporcionarle una existencia verdaderamente agradable. Diga una palabra, y nos iremos a la mejor joyería para dejar arreglado lo del anillo.

—No puedo.

—¿Por Beresford?

—¡No, no! *¡No!*

—Entonces, ¿por qué?

Tuppence se limitó a menear la cabeza con energía.

—No puede esperar más dólares de los que yo tengo.

—¡Oh, no es eso! —exclamó Tuppence con una risa histérica—. Pero, agradeciéndoselo mucho y todo lo que se dice en estos casos, creo mejor decirle que no.

—Le ruego que lo piense hasta mañana.

—Es inútil.

—No obstante, prefiero que lo dejemos así hasta mañana.

Ninguno de los dos volvió a hablar hasta que llegaron al Ritz. Tuppence subió a su habitación. Se sentía moralmente derrotada después de haberse enfrentado a la vigorosa personalidad de Julius. Sentada ante el espejo estuvo contemplando su imagen durante algunos minutos.

«Tonta», murmuró al fin haciendo una mueca. «Más que tonta. Tienes todo lo que deseas, todo lo que has esperado, y vas y le sueltas un «no» como una estúpida. Es una oportunidad única. ¿Por qué no la aprovechas? ¡Qué más puedes desear?»

Y como si respondiera a su propia pregunta, sus ojos se posaron en una instantánea de Tommy enmarcada con un marco barato que estaba sobre el tocador. Por unos momentos quiso conservar el dominio de sí misma, pero al fin, abandonando todo disimulo, se la llevó a los labios estallando en sollozos.

«¡Oh, Tommy, Tommy!» exclamó. «Te quiero tanto... y no volveré a verte nunca más...»

Al cabo de cinco minutos, Tuppence se incorporó, se secó las lágrimas y peinó sus cabellos.

«Eso es», se reprochó a sí misma. «Hay que hacer frente a la realidad. Al parecer, me he enamorado de un idiota a quien probablemente le importo un comino». Hizo una pausa y luego resumió, como discutiendo con un ser invisible. «Aunque esto lo ignoro. De todas formas, nunca se hubiera atrevido a decírmelo. Siempre me he burlado del sentimentalismo... y ahora resulta que soy más sentimental que nadie. ¡Qué tontas somos las mujeres! Siempre lo he pensado. Supongo que ahora dormiré con su retrato debajo de la almohada y soñaré toda la noche con él. Es terrible ver que una no es fiel a sus principios.»

Tuppence sacudió la cabeza y volvió a la realidad.

«Y no sé qué voy a decirle a Julius. ¡Oh, qué tonta me siento! Tendré que decirle... algo... es tan norteamericano y cabal, que insistirá en que le dé la razón. Quisiera saber si encontró algo en la caja fuerte...»

Sus reflexiones tomaron otros derroteros y recordó

los acontecimientos de la noche anterior que parecían concordar con las enigmáticas palabras de sir James.

De pronto, se sobresaltó y el color huyó de su rostro. Y sus ojos se fijaron, muy abiertos, en los de su imagen reflejada en el espejo.

«¡Imposible!» murmuró. «¡Imposible! Debo haberme vuelto loca para pensar siquiera una cosa así...»

Era monstruoso; no obstante lo explicaba todo.

Tras unos momentos de reflexión, se sentó para escribir una nota, pensando cada una de sus palabras. Al fin quedó satisfecha y la introdujo en un sobre que dirigió a Julius.

Fue hasta su saloncito y llamó a la puerta. Como esperaba, la habitación estaba vacía y dejó la carta sobre la mesa para que fuese vista por Julius a su regreso.

Un botones la esperaba ante su puerta cuando regresó a su habitación.

—Un telegrama para usted, señorita.

Tuppence lo recogió de la bandeja y lo abrió sin mucho interés. Entonces lanzó un grito. ¡El telegrama era de Tommy!

Capítulo XVI

MAS AVENTURAS DE TOMMY

Después de permanecer en una oscuridad salpicada de destellos, Tommy volvió lentamente a la vida. Cuando al fin consiguió abrir los ojos, lo único de que tuvo conciencia fue de un agudo dolor en las sienes. Vislumbró apenas un ambiente desconocido. ¿Dónde estaba? ¿Qué había ocurrido? Parpadeó. Aquélla no era su habitación del Ritz. ¿Y qué diablos le pasaba a su cabeza?

«¡Maldita sea!», se dijo Tommy intentando incorporarse. Acababa de recordarlo. Se encontraba en aquella siniestra casa del Soho. Soltó un gemido y volvió a dejarse caer como estaba. A través de sus párpados semicerrados fue inspeccionándolo todo con suma atención.

—Ya vuelve en sí —dijo una voz cerca de su oído, que reconoció en seguida como la del alemán de la barba. Procuró no moverse. Sería una pena despertar demasiado aprisa y, hasta que el dolor de cabeza no se amortiguara un poco, no sería capaz de coordinar las ideas. Penosamente trató de deducir lo ocurrido. Sin duda, alguien se había deslizado a sus espaldas para propinarle un golpe en la cabeza. Ahora sabían que era un espía y debían tenerlo bajo vigilància. Estaba en una situación comprometida. Nadie sabía su paradero y, por lo tanto, no cabía esperar ayuda exterior; sólo le restaba confiar en su propia inteligencia.

«Bueno, ahí va», murmuró para sus adentros, y repitió su exclamación anterior.

«¡Maldita sea!» Esta vez consiguió incorporarse.

Al minuto siguiente, el alemán le acercaba un vaso a los labios, con una orden: «Beba». Tommy obedeció. La potencia del bebraje le hizo toser, pero le despejó las ideas de inmediato.

Se encontraba tendido sobre un diván, en la misma habitación en que celebraron la conferencia. A un lado estaba el alemán y, en el otro, el portero con cara de villano que le había dejado entrar. Los demás se hallaban agrupados a cierta distancia. Sin embargo, Tommy echó de menos un rostro. El hombre conocido por el número uno ya no estaba entre ellos.

—¿Se encuentra mejor? —le preguntó el alemán al retirar el vaso vacío.

—Sí, gracias —respondió Tommy Beresford en tono animoso.

—¡Mi joven amigo, ha sido una suerte que tuviera el cráneo tan duro! El bueno de Conrad le dio un buen porrazo. —Con una inclinación de cabeza, señaló al siniestro portero.

El hombre sonrió.

Tommy volvió la cabeza hacia un lado, con esfuerzo.

—¡Ah! —dijo—. De modo que usted es Conrad... A mí me parece que la dureza de mi cráneo ha sido una suerte también para usted. Al verlo, considero una lástima haberle permitido escapar del verdugo.

El aludido gruñó y el alemán de la barba dijo sin alterarse:

—No hubiera corrido ningún riesgo.

—Como guste —replicó Tommy—. Sé que está de moda despreciar a la policía. Yo en cambio confío mucho en ella.

Sus modales eran de lo más desenvuelto. Tommy Beresford era uno de esos jóvenes ingleses que no se distinguen por ninguna dote intelectual especial, pero que saben portarse de un modo inmejorable en un momento difícil; se desprenden de la desconfianza y la cautela como quien se quita un guante. Tommy se daba perfecta cuenta de que la única oportunidad de escapar estaba en su ingenio y, tras sus maneras despreocupadas, hacía trabajar su cerebro a toda marcha.

—¿Tiene usted algo que decir antes de morir por espía? —dijo el alemán, con un tono frío.

—Montones de cosas —replicó Tommy con la misma naturalidad de antes.

—¿Niega haber escuchado detrás de esa puerta?

—No. Debo disculparme... pero su conversación era tan interesante que venció mis escrúpulos.

—¿Cómo entró aquí?

—El amigo Conrad me abrió la puerta. —Tommy le sonrió—. No quisiera sugerirles que despidan a un sirviente fiel, pero la verdad es que deberían tener un vigilante más de fiar.

Conrad gruñó y, cuando el de la barba se volvió hacia él, dijo:

—Me dio la contraseña. ¿Cómo iba a saberlo?

—Sí —intervino Tommy—. ¿Cómo iba a saberlo? No le echen la culpa al pobre. Su acción impremeditada me ha proporcionado el placer de verlos cara a cara.

Sus palabras causaron cierta inquietud en el grupo, pero el alemán los tranquilizó con un ligero ademán de la mano.

—Los muertos no hablan —sentenció.

—¡Ah! —exclamó Tommy—. ¡Pero yo aún no estoy muerto!

—Pero no tardará en estarlo —dijo el alemán, coreado por un murmullo de aprobación.

Tommy notó que el corazón le latía deprisa, pero su presencia de ánimo no lo abandonó.

—Creo que no —dijo con firmeza—. Voy a ponerles grandes inconvenientes.

Comprendió que los había intrigado al ver el rostro del alemán.

—¿Puede darme una sola razón por la que no podamos matarlo? —le preguntó.

—Varias —replicó Tommy—. Escuche, me ha estado haciendo una serie de preguntas. Ahora voy a hacerle una yo. ¿Por qué no me han matado antes de que recobrase el conocimiento?

El alemán vaciló y Beresford se aprovechó de aquella circunstancia.

—Porque ignoraban lo que yo sabía... y dónde había obtenido esas informaciones. Y si me matan ahora... no lo sabrán jamás.

Pero en este momento, Boris no soportó más sus sentimientos. Se adelantó agitando los brazos.

—¡Condenado espía! —gritó—. Hay que quitarlo de en medio en seguida. ¡Matadlo! ¡Matadlo!

Hubo un coro de aplausos.

—¿Ha oído? —dijo el alemán mirando a Tommy—. ¿Qué tiene que decir a esto?

—¿Decir? —Tommy encogió los hombros—. Hatajo de imbéciles. Dejen que les haga unas cuantas preguntas. ¿Cómo entré en este lugar? Recuerdan las palabras del amigo Conrad... «Me dio la contraseña». ¿Recuerdan? ¿Cómo me enteré? No supondrán que vine al azar y dije la primera palabra que me vino a la cabeza.

Tommy quedó satisfecho con su discurso. Lo único que lamentaba era que Tuppence no estuviese allí para apreciarlo en todo su valor.

—Es cierto —dijo de pronto el obrero—. ¡Camaradas, hemos sido traicionados!

Se levantó un murmullo de rabia. Tommy los alentó con una sonrisa.

—Eso está mejor. ¿Cómo piensan triunfar en alguna empresa, si no utilizan el cerebro?

—Usted va a decirnos quién nos ha traicionado —dijo el alemán—. Aunque eso no lo salvará... ¡Oh, no! Nos dirá todo lo que sepa. Boris conoce muchos medios para que la gente hable.

—¡Bah! —se burló Tommy, luchando contra la sensación desagradable que sentía en la boca del estómago—. No van a torturarme, ni me matarán.

—¿Y por qué no? —preguntó Boris.

—Porque de este modo se quedarían sin la gallina de los huevos de oro —replicó Tommy sin inmutarse.

Hubo una pausa momentánea. Parecía como si la persistente seguridad del muchacho los hubiera convencido al fin. Ya no estaban tan seguros de sí mismos. El hombre del traje raído lo miró detenidamente.

—Se está burlando de ti, Boris —dijo con calma.

En aquel momento Tommy lo odió. ¿Es que aquel hombre había conseguido leer sus pensamientos? El alemán se volvió a Tommy con un esfuerzo.

—¿Qué quiere decir?

—¿Qué cree que quiero decir?

De pronto Boris se adelantó para agitar el puño delante del rostro de Tommy.

—¡Habla, cerdo inglés... habla!

—No se excite tanto, querido amigo —dijo Tommy con calma—. Eso es lo malo de ustedes, los extranjeros. No saben conservar la calma. Ahora, dígame, ¿tengo aspecto de pensar siquiera remotamente que van a matarme?

Miró confiado a su alrededor, alegrándose de que no oyeran el fuerte latir de su corazón, que desmentiría sus palabras.

—No —admitió Boris malhumorado—. No da esa impresión.

«Gracias a Dios que no puede leer el pensamiento», se dijo Tommy, y en voz alta agregó:

—¿Y por qué estoy tan confiado? Porque sé algo que me coloca en posición de proponerles un trato.

—¿Un trato? —El de la barba lo miró extrañado.

—Sí... un trato. Mi vida y mi libertad a cambio de...
—Hizo una pausa.

—¿A cambio de qué?

El grupo se adelantó y se hubiera podido oír el vuelo de una mosca.

Tommy habló despacio.

—Los papeles que Danvers trajo de Estados Unidos en el *Lusitania*.

El efecto que produjeron sus palabras fue semejante al de una descarga eléctrica. Todos se pusieron en pie. El alemán los contuvo con un gesto. Se inclinaba sobre Tommy con el rostro rojo de excitación.

—*Himmel!* ¿Entonces los tiene usted?

Con una calma extraordinaria, Tommy meneó la cabeza.

—¿Sabe dónde están? —insistió el alemán.

Tommy volvió a negar con un ademán.

—No tengo la menor idea.

—Entonces... entonces... —Le fallaban las palabras.

Beresford miró a su alrededor, viendo el furor y el asombro reflejados en cada rostro, pero su calma y seguridad habían logrado su objetivo... y nadie dudaba de que algo se ocultaba tras sus palabras.

—No sé dónde están esos papeles... pero creo que podré encontrarlos. Tengo una teoría...

—¡Bah!

Tommy alzó la mano para acallar las protestas.

—Yo lo llamo teoría... pero estoy bastante seguro de los hechos... que no conoce nadie más que yo. Y de todas formas, ¿qué pueden perder? Si yo les traigo el documento... ustedes me dan a cambio mi vida y mi libertad. ¿Les parece bien?

—¿Y si nos negamos? —dijo el alemán.

Tommy se tendió en el diván.

—Para el día veintinueve faltan menos de quince días —dijo pensativo.

Por un momento el alemán vaciló y al cabo hizo un gesto a Conrad.

—Llévalo a la otra habitación.

Durante cinco minutos, Tommy permaneció sentado sobre la cama de la habitación contigua. El corazón le latía con violencia. Lo había arriesgado todo a una jugada. ¿Qué decidirían? Y mientras esta pregunta martilleaba en su interior iba charlando despreocupadamente con su guardián, provocando sus manías homicidas.

Por fin se abrió la puerta y el alemán ordenó a Conrad que regresaran.

—Esperemos que el juez no se haya puesto el capuchón negro —observó Tommy en tono indiferente—. Está bien. Conrad, llévame adentro. Caballeros, el prisionero está en el banquillo.

El alemán había vuelto a sentarse detrás de la mesa e hizo que Tommy se colocara frente a él.

—Aceptamos sus condiciones —dijo—. Los papeles nos deben ser entregados antes de ponerlo en libertad.

—¡No sea tonto! —dijo Tommy en tono amistoso—. ¿Cómo cree usted que voy a hacerme con ellos si me tiene aquí atado a la pata de la mesa?

—¿Qué espera entonces?

—Debo tener libertad para realizar el asunto a mi manera.

El alemán rió.

—¿Cree que somos niños para dejarle marchar por una bonita historia de promesas?

—No —repuso Tommy, pensativo—. Aunque hubiera sido mucho más sencillo para mí, la verdad es que no creía que aceptaran este plan. Muy bien, haremos otro arreglo. ¿Qué les parece si me acompaña Conrad? Es fiel y muy rápido con sus puños.

—Preferimos que se quede aquí —dijo el alemán fríamente—. Uno de los nuestros llevará a cabo sus instrucciones. Si las operaciones son complicadas, volverá a informarle y usted le aconsejará de nuevo.

—Me ata usted las manos —se quejó Tommy—. Es un asunto muy delicado y ese individuo puede cometer una torpeza. ¿Dónde estaré yo entonces? No creo que ninguno de ustedes tenga un ápice de tacto.

El alemán golpeó la mesa.

—Éstas son nuestras condiciones. ¡Si no, la muerte!

Tommy volvió a reclinarse.

—Me gusta su estilo. Breve, pero atractivo, Bien, sea. Pero hay una cosa esencial... tengo que ver a la muchacha.

—¿Qué muchacha?

—Jane Finn, por supuesto.

El otro lo miró con curiosidad durante algún tiempo y, finalmente, como si escogiera las palabras con gran cuidado, dijo despacio:

—¿Acaso no sabe que no puede decirle nada?

A Tommy el corazón le latió más deprisa. ¿Conseguiría ver cara a cara a la joven que buscaba?

—No voy a pedirle que me diga nada —dijo sin inmutarse—. Es decir, que me lo diga con palabras.

—¿Entonces, para qué quiere verla?

—Para observar su rostro cuando le haga cierta pregunta.

De nuevo apareció una expresión en los ojos del alemán que Tommy no supo interpretar.

—No podrá responder a su pregunta.

—Eso no importa. Veré su rostro cuando se la haga.

—¡Y cree que eso va a decirle algo? —Soltó una risa desagradable y Tommy sintió más que nunca que había algo que no comprendía. El alemán lo miraba fijamente—. Me pregunto si después de todo sabrá tanto como pensamos... —dijo en tono bajo.

El muchacho se sintió menos seguro que antes. ¿Qué habría dicho? Estaba intrigado y habló siguiendo el impulso del momento.

—Puede haber cosas que usted sepa y yo no. No pretendo conocer todos los detalles de su organización, pero yo a mi vez sé algo que *usted* ignora, y ésa es mi ventaja. Danvers era un individuo extremadamente inteligente...

Se interrumpió como si hubiera hablado más de la cuenta; el rostro del alemán se iluminó un tanto.

—Danvers —musitó—. Ya comprendo... —Hizo una pausa y luego agregó dirigiéndose a Conrad—: Llévale arriba. Arriba... ya sabes.

—Espere un minuto —dijo Tommy—. ¿Qué hay de la chica?

—Tal vez pueda arreglarse.

—Así tendrá que ser.

—Veremos. Sólo puede decirlo una persona.

—¿Quién? —preguntó el muchacho, aunque imaginaba la respuesta.

—Mister Brown...

—¿Lo veré?

—Tal vez.

—Vamos —dijo Conrad con voz áspera.

Tommy se puso en pie obediente. Su cancerbero le señaló la escalera. Una vez en el piso superior, Conrad abrió la puerta y lo hizo entrar en un cuartucho. Encendió la luz de gas y salió. Tommy oyó el ruido de la llave al girar en la cerradura.

Se dispuso a examinar su prisión. Era una habitación más pequeña que la de abajo, y su atmósfera un tanto peculiar como si le faltara aire. Entonces comprobó que no tenía ventanas. Las paredes estaban muy sucias, como todo lo demás, y de ellas colgaban cuatro grabados representando escenas de Fausto. Margarita con su joyero, la escena de la iglesia, Siebel y sus flores, *Fausto* y Mefistófeles... Este último le trajo de nuevo el recuerdo de mister Brown. En aquella estancia cerrada, con su puerta hermética y pesada, se sentía apartado del mundo y le parecía mucho más real el siniestro poder del archicriminal. Por mucho que gritara nadie podría oírle. Aquel lugar era una tumba...

Se rehizo con un esfuerzo. Se sentó en la cama para entregarse a la reflexión. Le dolía mucho la cabeza, y además estaba hambriento. El silencio de aquel lugar era desesperante.

«De todas formas», dijo Tommy para sí, tratando de

animarse, «veré al jefe... al misterioso mister Brown, y con un poco de suerte, podré continuar la farsa, incluso ver a Jane Finn. Después...»

Después Tommy se vio obligado a admitir que el porvenir se presentaba muy negro.

Capítulo XVII

ANNETTE

Sin embargo, las preocupaciones por su futuro se desvanecieron pronto ante las presentes. Y la más imperiosa y acuciante era la del hambre. Tommy gozaba de un apetito espléndido, y el bistec con patatas fritas que tomara al mediodía le parecía ahora de otra década, y tuvo que reconocer con pesar que la huelga de hambre no era lo suyo.

Anduvo de un lado a otro de su prisión. Una o dos veces dejó a un lado la dignidad y aporreó la puerta pero nadie acudió a sus llamadas.

«¡Al cuerno con todo!» exclamó Tommy, indignado. «¡No es posible que vayan a dejarme morir de hambre!» El temor se apoderó de él al considerar que tal vez fuese uno de los «medios» de hacer hablar a un prisionero. Pero pensándolo mejor desechó aquella espantosa idea.

«¡Ese bruto de Conrad!» decidió. «Disfrutaría dándole su merecido. Esto lo hace para demostrarme su rencor. Estoy seguro.»

Posteriores meditaciones lo llevaron a pensar que sería en extremo agradable tener algo con qué golpear la cabeza en forma de huevo de Conrad. Tommy se acarició la suya, entregándose a los placeres de la imaginación. Al fin, la luz de una idea iluminó su mente. ¿Por qué no convertirla en realidad? Conrad era sin duda alguna el inquilino de la casa. Los otros, con la posible excepción del barbudo alemán, la utilizaban solamente como lugar de reunión. Por lo tanto, ¿por qué no esperar a Conrad oculto detrás de la puerta y, cuando entrara, descargar sobre su cabeza una silla o cualquiera de las pinturas descoloridas? Claro que debía tener cuidado de no darle demasiado fuerte. Y luego sencillamente marcharse de allí. Y si encontraba a alguien antes de salir a la calle... bueno... Tommy se animó al imaginar un encuentro a puñetazo limpio, que siempre sería mejor que el encuentro verbal de aquella tarde.

Entusiasmado con su plan, Tommy descolgó el cuadro del Diablo y Fausto, colocándose luego en la posición adecuada. Se sentía mucho más animado. Su plan le parecía sencillo pero excelente.

Pasaron las horas y Conrad no apareció. La noche y el día eran la misma cosa en aquella habitación, pero el reloj de pulsera de Tommy, que era bastante exacto, marcaba las nueve de la noche. Pensó amargamente que si no le llevaban pronto la cena, sería cuestión de empezar a esperar el desayuno. A las diez, perdida toda esperanza, se tendió en la cama para dormir. A los cinco minutos había olvidado todas sus penas.

El ruido de la llave al girar en la cerradura lo despertó de su letargo. No pertenecía al tipo de héroe que despierta con la plena posesión de sus facultades y por ello parpadeó mirando al techo y preguntándose dónde estaba. Cuando recordó lo ocurrido, echó un vistazo a su reloj. Eran las ocho.

«Es el té de primera hora o el desayuno», dedujo. «¡Dios quiera que sea esto último!»

Se abrió la puerta. Ya había pasado la oportunidad cuando Tommy recordó su plan de atacar a Conrad. Un momento más tarde se alegraba de haberlo olvidado, ya que no fue Conrad quien entró, sino una muchacha que llevaba una bandeja que dejó sobre la mesa.

A la escasa luz de la lámpara de gas, Tommy parpadeó extasiado, pues se trataba de una de las jóvenes más bonitas que viera en su vida. Sus cabellos eran de color castaño con algunos reflejos dorados, como si entre ellos llevara aprisionados rayos de sol.

Un pensamiento delirante cruzó la mente de Tommy Beresford.

—¿Es usted Jane Finn? —le preguntó conteniendo la respiración.

La muchacha meneó la cabeza extrañada.

—Mi nombre es Annette, monsieur —dijo en un inglés algo imperfecto.

—¡Oh! —exclamó bastante sorprendido—. ¿Es usted francesa?

—*Oui, monsieur. Parlez vous français?*

—No —replicó Tommy—. ¿Qué es esto? ¿El desayuno?

La muchacha asintió, y Tommy, saltando de la cama, fue a examinar el contenido de la bandeja que consistía en un pan, algo de margarina y un tazón de café.

—No se come igual que en el Ritz —observó con un suspiro—, pero os doy las gracias, señor, por los alimentos que al fin voy a tomar. Amén.

Acercó una silla y la muchacha se dirigió hacia la puerta.

—Espere un momento —exclamó Tommy—. Hay muchísimas cosas que quisiera preguntarle, Annette. ¡Qué hace usted en esta casa? No me diga que es la sobrina o la hija de Conrad, porque no podré creerlo.

—Soy la doncella, monsieur. No soy pariente de nadie.

—Ya —dijo Tommy—. Sabe de sobras lo que acabo de preguntarle. ¿Ha oído alguna vez este nombre?

—Creo que he oído hablar alguna vez de Jane Finn.

—¿No sabe dónde está?

Annette meneó la cabeza.

—¿No está en esta casa, por ejemplo?

—¡Oh, no monsieur! Ahora debo marcharme... me están esperando.

Salió a toda prisa, cerrando con llave.

—Me pregunto quiénes la estarán esperando —musitó el joven, devorando el pan—. Con un poquitín de suerte esa chica podría ayudarme a salir de aquí. No parece de la banda.

A la una, Annette reapareció con otra bandeja, pero esta vez acompañada de Conrad.

—Buenos días —dijo Tommy en tono amistoso—. Ya veo que no ha utilizado el jabón.

Conrad lanzó un gruñido amenazador.

—El mundo está mal repartido, ¿verdad, viejo? Vaya, vaya, no siempre puede uno ser inteligente y además ser bien parecido. ¿Qué tenemos para comer? ¿Estofado? ¿Que cómo lo sé? Elemental, mi querido Watson... el olor de las cebollas es inconfundible.

—Hable cuanto quiera —gruñó el hombre—. Es muy probable que le quede poco tiempo para hacerlo.

El comentario era desagradable por lo que daba a entender, pero Tommy hizo caso omiso y se sentó a la mesa.

—Retírese, lacayo —dijo con un gesto—. Y no hable con sus superiores.

Aquella tarde, Tommy, sentado sobre la cama, meditó profundamente. ¿Volvería Conrad a acompañar a la muchacha? Y en caso contrario, ¿se arriesgaría a tratar de convertirla en su aliada? Decidió no dejar piedra por remover. Su situación era desesperada.

A las ocho, el sonido familiar de la llave al girar en la cerradura lo hizo ponerse en pie de un salto. La muchacha entró sola...

—Cierre la puerta —le ordenó—. Quiero hablar con usted.

Ella obedeció.

—Escúcheme, Annette, quiero que me ayude a salir de aquí.

—¡Imposible! Hay tres hombres en el piso de abajo.

—¡Oh! —Tommy le agradeció secretamente la información—. Pero, ¿me ayudaría si pudiera?

—No, monsieur.

—¿Por qué no?

La muchacha vacilaba.

—Yo creo... son los míos. Y usted los ha espiado. Hacen bien en tenerlo encerrado aquí.

—Son un hatajo de malvados, Annette. Si me ayudara yo la libraría de ellos. Y probablemente ganaría un buen montón de dinero.

Pero la joven se limitó a menear la cabeza.

—No me atrevo, monsieur; les tengo miedo.

Se volvió para marcharse.

—¿No haría nada por ayudar a otra joven? —exclamó Beresford—. Tiene su misma edad. ¿No la salvaría de sus secuestradores.

—¿Se refiere a Jane Finn?

—Sí.

—¿Es a ella a quién vino a buscar?

—Sí.

La muchacha lo miró y luego se pasó la mano por la frente.

—Jane Finn. Siempre oigo ese nombre y me resulta familiar.

Tommy se acercó a ella.

—Debe saber algo de ella.

La muchacha se alejó bruscamente.

—No sé nada, sólo el nombre. —Fue hasta la puerta y de pronto lanzó un grito.

Tommy se sobresaltó. Había visto el cuadro que él descolgara la noche anterior y, por un momento, sus ojos lo miraron aterrorizados. Luego, con la misma brusquedad, la joven recuperó la calma y se marchó. Tommy no consiguió entender su comportamiento. ¿Es que acaso imaginó que había intentado atacarla? No. Volvió a colgar el cuadro muy pensativo.

Transcurrieron tres días más en aquella terrible

inactividad. Tommy sentía que aquella tensión iba haciendo mella en sus nervios. No veía más que a Conrad y Annette. Pero la muchacha había enmudecido. Sólo le hablaba en monosílabos, y sus ojos lo miraban con recelo. El muchacho se daba cuenta de que, si continuaba mucho tiempo en aquel encierro, terminaría por volverse loco. Supo por Conrad que esperaban órdenes de mister Brown. Tommy pensó que tal vez estuviera en el extranjero o se hubiese ausentado de Londres y se vieran obligados a aguardar su regreso.

Pero la noche del tercer día tuvo un rudo despertar.

Eran apenas las siete cuando oyó ruido de pasos en el pasillo. Al minuto siguiente se abrió la puerta y entró Conrad acompañado del número catorce. A Tommy se le paró el corazón al verlos.

—Buenas noches, jefe —dijo el hombre con una mueca de burla—. ¿Trajo la cuerda, camarada?

El silencioso Conrad sacó una cuerda larga y muy delgada. Un minuto más tarde, las manos expertas del número catorce le ataron de pies y manos, mientras Conrad le sujetaba.

—¿Qué diablos...? —empezó a decir Tommy.

La sonrisa lerda y macabra sonrisa de Conrad le heló las palabras en los labios.

El número catorce concluyó su tarea y Tommy quedó hecho un paquete y sin poder moverse. Al fin, Conrad habló.

—Creíste habernos engañado, ¿verdad? Con lo que sabías y lo que no sabías. ¡Haciendo tratos! ¡Y todo eran baladronadas! Sabes menos que un gatito. Pero ahora te hemos descubierto... cerdo.

Tommy guardó silencio. ¿Qué podía decir? Había fracasado. De una manera u otra el omnipotente mister Brown había adivinado sus falsedades. De pronto tuvo una idea.

—Un bonito discurso, Conrad —dijo en tono de aprobación—. Pero ¿para qué tantos rodeos? ¿Por qué no deja que este caballero me corte el cuello sin más tardanza?

—Se lo diré —dijo el número catorce de pronto—. ¿Cree que somos tan estúpidos como para deshacernos de usted aquí y que la policía venga a meter las narices? Hemos pedido el carruaje de Su Señoría para mañana por la mañana, pero entretanto no queremos correr riesgos, ¿comprende?

—Está clarísimo —repuso Tommy—. Y tiene tan mal aspecto como su rostro.

—No se mueva —repuso el número catorce.

—Con mucho gusto —repuso Tommy—. Pero sepa que está cometiendo un grave error... En definitiva, será usted quien perderá.

—No volverá a engañarnos —dijo el número catorce—. Habla como si todavía estuviera en el maldito Ritz.

Tommy no contestó, preocupado en imaginar cómo mister Brown había descubierto su identidad. Al fin decidió que Tuppence, presa de ansiedad, había acudido a la policía haciéndose pública su desaparición, y la banda había atado cabos en seguida.

Los dos hombres habían cerrado la puerta. Tommy quedó a solas con sus pensamientos, muy poco agradables, por cierto. Sus miembros se iban entumeciendo y no veía la menor esperanza en parte alguna.

Había transcurrido cosa de una hora cuando oyó girar la llave lentamente y la puerta se abrió. Era Annette.

A Tommy el corazón empezó a latirle más deprisa. Se había olvidado de la muchacha. ¿Era posible que acudiera en su ayuda?

De pronto se oyó la voz de Conrad.

—Sal de ahí, Annette. Hoy no quiere cenar.

—*Oui, oui, je sais bien*. Pero tengo que recoger la otra bandeja. Necesitamos los platos.

—Bien, date prisa— gruñó Conrad.

Sin mirar a Tommy, la muchacha se inclinó sobre la mesa para recoger la bandeja y luego apagó la luz.

—¡Maldita seas! —Conrad se llegó hasta la puerta—. ¿Por qué la apagas?

—Siempre la apago. Debiera habérmelo dicho. ¿Vuelvo a encenderla, monsieur Conrad?

—No, sal de ahí ya.

—*Le beau petit monsieur* —exclamó Annette, deteniéndose junto a la cama en la oscuridad—. ¿Le han atado bien, *hein*? ¡Está como un pollo relleno!

El franco regocijo en el tono sorprendió al muchacho, que en aquel preciso momento notó que una mano palpaba las ligaduras de los brazos y después que depositaba un objeto pequeño y frío en la palma de su mano.

—Vamos, Annette.

—*Mais me voilà*.

Se cerró la puerta y Tommy oyó cómo Conrad decía:

—Cierra y dame a mí la llave.

Los pasos se fueron alejando. Tommy permaneció como petrificado por el asombro. El objeto que Annette deslizara en su mano era un pequeño cortaplumas con la hoja abierta. Por el modo en que evitó mirarlo, y el hecho de haber apagado la luz, llegó a la conclusión de que la habitación estaba vigilada. Debía haber alguna mirilla en las paredes. Al recordar su comportamiento, comprendió que le habían estado observando todo el tiempo.

¿Habría dicho algo que lo delatara? Reveló su deseo de escapar y de encontrar a Jane Finn, pero nada que les pudiera dar una pista sobre su identidad. Cierto que su pregunta a Annette probaba que desconocía personalmente a Jane Finn, pero él nunca pretendió lo contrario. Ahora la cuestión era, ¿sabría Annette más de lo que quiso confesar? ¿Acaso sus negativas fueron intencionadas para despistar a los que escuchaban? Al llegar a este punto no supo qué conclusión sacar.

Pero había una cuestión vital que borraba todas las demás. ¿Conseguiría, atado como estaba, cortar las ligaduras? Con sumas precauciones probó de frotar la hoja de la navaja contra la cuerda que rodeaba sus muñecas.

Era bastante difícil y lanzó una queja de dolor cuando el cortaplumas cortó su carne. Pero, poco a poco, a costa de diversos cortes, consiguió cortar la cuerda. Y una vez con las manos libres, el resto fue fácil.

Cinco minutos más tarde se puso en pie con alguna dificultad debido al entumecimiento de sus miembros. Lo primero que hizo fue vendar sus muñecas y luego se sentó sobre la mesa para pensar. Conrad se había llevado la llave, de modo que no podía esperar más ayuda de Annette. La única salida de aquella habitación era la puerta; en consecuencia, sólo le cabía esperar que los dos hombres volvieran a buscarle, pero cuando lo hicieran... ¡Tommy sonrió! Moviéndose con infinitas precauciones en la oscuridad, encontró y descolgó el cuadro famoso. Sintió un inmenso placer de no haber desperdiciado el primer plan. No le quedaba más que esperar... y esperó.

La noche fue transcurriendo lentamente. Tommy vivió unas horas que le parecieron eternas, pero al fin oyó ruido de pasos. Alzó los brazos, contuvo el aliento y sujetó el cuadro con fuerza.

La puerta se abrió, y dejó entrar una tenue claridad. Conrad fue directamente hacia la luz de gas para encenderla. Tommy lamentó que fuese él quien entrase primero. Hubiera sido un placer acabar con él. Lo siguió el número catorce y, cuando pisó el interior de la habitación, Tommy dejó caer el cuadro sobre su cabeza con todas sus fuerzas. El número catorce se desplomó entre un estrépito de cristales rotos. Un segundo después Tommy había salido. La llave estaba en la cerradura. La hizo girar y la sacó cuando ya Conrad se lanzaba contra la puerta con una salva de maldiciones.

Tommy vaciló un instante. Alguien se movía abajo, y la voz del alemán llegó a sus oídos.

—*Gott im Himmel!* Conrad, ¿qué ha sido eso?

Tommy sintió que lo cogían de la mano. Annette estaba a su lado indicándole una escalerilla destartalada que al parecer llevaba a un desván.

—¡Subamos... deprisa!

Y lo arrastró tras ella escaleras arriba. Momentos después se encontraban en un desván polvoriento lleno de maderas. Tommy miró a su alrededor.

—Esto no nos servirá de nada. Es una trampa. No hay escape posible.

—¡Silencio! Espere.

La muchacha se llevó un dedo a los labios y, agachándose junto a la escalerilla, se puso a escuchar.

Los golpes que daban en la puerta eran terribles. Él y otro individuo trataban de echarla abajo. Annette le explicó en un susurro:

—Creerán que todavía está usted dentro. No pueden oír lo que les dice Conrad. La puerta es demasiado maciza.

—Yo creí que podían oír lo que ocurría en la habitación.

—Hay una mirilla en la habitación de al lado. Fue usted muy inteligente al suponerlo. Pero no se acordarán... ahora únicamente lo que pretenden es derribar la puerta y entrar.

—Sí... pero mire aquí...

—Déjeme hacer a mí.

Se inclinó y, ante su asombro, Tommy vio que estaba atando el extremo de un cordel largo al asa de un cántaro. Lo hizo con sumo cuidado y luego se volvió al joven.

—¿Tiene la llave de la puerta?

—Sí.

—Démela.

Se la entregó.

—Voy a bajar. ¿Cree que podrá deslizarse *detrás* de la escalera de modo que no lo vean?

Tommy asintió.

—Verá que hay un armario.. Escóndase detrás. Coja

el extremo de este cordel y cuando yo haya sacado a los otros tire de él.

Antes de que tuviera tiempo de preguntarle nada más, se había deslizado por la escalerilla y se plantaba en medio del grupo con una gran exclamación.

—*Mon Dieu! Mon Dieu! Qu'est-ce qu'il y a?*

El alemán se volvió a ella con una maldición.

—¡Sal de aquí! ¡Vete a tu cuarto!

Con sumo cuidado, Tommy se deslizó por detrás de la escalerilla. Mientras ellos no se volvieran todo iría bien. Se metió detrás del armario. Ellos estaban entre él y la escalera.

—¡Ah! —Annette simuló agacharse para recoger algo del suelo—. *Mon Dieu, voilà la clef!*

El alemán se la arrebató para abrir la puerta y Conrad salió lanzando juramentos.

—¿Dónde está? ¿Lo habéis cogido?

—No hemos visto a nadie —dijo el alemán, palideciendo—. ¿A quién te refieres?

Conrad soltó otra maldición.

—Se ha escapado.

—Imposible, lo hubiéramos visto.

En aquel momento, Tommy, sonriendo, tiró del cordel. En el desván se oyó gran estrépito de cacharros rotos. En un periquete los tres hombres se abalanzaron sobre la escalera, y desaparecieron en la oscuridad.

Rápido como el rayo, Tommy salió de su escondite y bajó la escalera a todo correr, arrastrando tras sí a la muchacha. En el recibidor no había nadie. Descorrió cerrojos y cadenas hasta que la puerta se abrió al fin. Se volvió, pero Annette había desaparecido.

Tommy se quedó de una pieza. ¿Es que habría vuelto a subir? ¿Qué locura se había apoderado de ella? Ardía de impaciencia pero no dio un paso. No se iría sin ella.

Y de pronto oyó grandes gritos, una maldición del alemán y luego la voz clara de Annette que gritaba:

—*Ma foi!* ¡Se ha escapado! ¡Y muy deprisa! ¿Quién lo hubiera pensado?

Tommy seguía pegado al suelo. ¿Era una orden para que se marchara? Así lo imaginó. Y luego, con voz aún más alta, llegaron hasta él las palabras:

—Esta casa es horrible. Quiero volver con Marguerite. Con Marguerite. *¡Con Marguerite!*

Tommy había vuelto junto al pie de la escalera. ¿Es que acaso deseaba que la dejase? Pero ¿por qué? A toda costa debía intentar llevársela de allí. En aquel momento se le paralizó el corazón. Conrad comenzaba a bajar la escalera y lanzó un grito terrible al verlo. Tras él siguieron los otros.

Tommy detuvo la carrera de Conrad con un buen directo que le alcanzó en plena mandíbula y lo hizo caer como un saco. El segundo hombre tropezó con él, y cayó a su vez. Desde lo alto de la escalera partió un disparo y la bala rozó la oreja de Tommy, haciéndole comprender que si quería conservar la vida era conveniente salir de la casa lo más pronto posible. En cuanto a Annette nada podía hacer. Se había vengado de Conrad, lo cual era una satisfacción. Había sido un golpe muy bueno.

Corrió hacia la puerta y la cerró tras de sí de un portazo. La plaza estaba desierta y, ante la casa, había una camioneta de reparto. Sin duda pensaban haberlo sacado de Londres en ella y, de ese modo, su cadáver hubiera aparecido a muchas millas de la casa del Soho. El chófer saltó a la acera, tratando de cerrarle el paso, y de nuevo Tommy hizo uso de sus puños y el hombre se desplomó sobre el pavimento.

Tommy puso pies en polvorosa justo a tiempo. La puerta de la casa acababa de abrirse y una ráfaga de balas lo acompañó. Por suerte ninguna hizo blanco y pudo doblar la esquina de la plaza.

«No pueden seguir disparando», pensó Tommy. «Si lo hacen acudirá la policía. No comprendo cómo se han atrevido».

Oía los pasos de sus perseguidores a sus espaldas y aumentó la velocidad. Una vez hubiera conseguido salir de aquellas callejuelas estaría a salvo. Tenía que haber un policía en alguna parte; no es que en realidad deseara su ayuda, de ser posible debería evitarlo. Significaba dar demasiadas explicaciones. Un segundo después tenía motivos para bendecir su suerte. Tropezó contra una figura tumbada en el suelo que, tras lanzar un grito de alarma, echó a correr calle abajo. Tommy se refugió en el quicio de una puerta y tuvo el placer de ver a sus perseguidores, uno de los cuales era el alemán, continuar corriendo tras el señuelo.

Tommy se sentó en un escalón para descansar y recobrar el aliento. Luego echó a andar tranquilamente en dirección contraria. Miró su reloj. Era un poco más de las cinco y media y estaba amaneciendo a toda prisa. Al llegar a la esquina, pasó ante un policía que lo miró receloso. Tommy se sintió ligeramente ofendido, y luego, pasándose la mano por la cara se echó a reír. ¡No se había lavado ni afeitado por espacio de tres días! ¡Qué aspecto debía de tener!

Sin más tardanza se dirigió a un establecimiento de baños turcos que permanecía abierto toda la noche y, al volver a salir a la calle, se sintió el mismo de siempre y en condiciones de hacer planes.

Lo primero era comer, ya que no había probado bocado desde el día anterior. Entró en un local de la cadena ABC y pidió huevos con beicon y café. Mientras comía leyó el periódico de la mañana. De pronto contuvo la respiración. Había un artículo muy extenso sobre Kramenin, a quien describían como «el hombre que en Rusia respaldaba el bolchevismo», y que acababa de llegar a Londres. como enviado extraoficial, según se creía. Esbozaban ligeramente su carrera afirmando que él, y no los renombrados cabecillas, había sido el verdadero promotor de la revolución rusa.

En el centro de la página publicaban su retrato.

—De modo que éste es el número uno —dijo Tommy con la boca llena—. No cabe la menor duda, debo seguir adelante.

Pagó el desayuno, y se dirigió a Whitehall[1]. Allí dio su nombre y dijo que traía un mensaje urgente. Pocos minutos después se hallaba en presencia del hombre que no era conocido en Whitehall como «mister Carter» y que se lo miró con el ceño fruncido.

—Escuche, no tiene derecho a venir aquí a verme como lo ha hecho. Creí que lo había dejado bien claro.

—Y así fue, señor. Pero me pareció que era importante no perder ni un minuto.

Y tan brevemente como le fue posible le relató las experiencias vividas en los últimos días.

A mitad de su relato, Carter lo interrumpió para dar unas órdenes crípticas por teléfono. De su rostro había desaparecido toda muestra de disgusto, y asintió complacido cuando Tommy hubo terminado.

—Muy bien. Tenía usted razón. Cada minuto es precioso. De todos modos temo que lleguemos demasiado tarde. Ellos no aguardarán y levantarán el vuelo en seguida. No obstante, es posible que dejen algún rastro que pueda servirnos de pista, ¿Dice usted que ha reconocido al número uno y que es Kramenin? Eso es importante. Necesitamos alguna prueba contra él para evitar que el gabinete caiga limpiamente en sus redes. ¿Y qué me dice de los otros? ¿Dice que dos de ellos le eran familiares? ¿Cree que uno es laborista? Mire estas fotografías y vea si puede identificarlo.

Un minuto más tarde Tommy levantaba una fotografía y Carter demostró cierta sorpresa.

—¡Ah, Westway! Debería haber sospechado. Se hace pasar por moderado. En cuanto al otro individuo, creo

1. Antiguo palacio de Londres donde tiene actualmente su sede el Gobierno Británico. (*N. de T.*).

que sé quién es. —Y le tendió otra fotografía a Tommy
y sonrió al escuchar su exclamación—. Entonces tenía
razón. ¿Quién es? Un irlandés. Un destacado miembro
del Parlamento por el partido unionista. Claro que sólo
eran suposiciones. Lo sospechábamos... pero no lográ-
bamos conseguir pruebas. Sí, se ha portado usted muy
bien, jovencito. Usted dice que el veintinueve es la
fecha señalada. Eso nos deja muy poco tiempo... poquísimo.

—Pero... —Tommy vacilaba.

Carter adivinó sus pensamientos.

—Creo que podemos contener la amenaza de huelga
general. Aunque las fuerzas están igualadas, tenemos
una oportunidad. Pero si ese tratado aparece, estamos
perdidos. Inglaterra se precipitará en la anarquía. Ah,
¿qué hay? ¿El coche? Vamos, Beresford, iremos a echar
un vistazo a esa casa.

Dos agentes estaban de guardia ante la casa del
Soho, y un inspector fue a informar a Carter en voz
baja.

Éste último se volvió a Tommy.

—Los pájaros han volado... como pensábamos. Será
mejor que entremos.

Al recorrer la casa desierta, Tommy creyó estar vi-
viendo un sueño. Todo estaba igual que antes: la habitación donde lo encerraron con las pinturas descoloridas, el cántaro roto en el ático y la sala de reuniones
con su larga mesa. Pero ahora no se veía ni rastro de
papeles. Todos habían sido destruidos o se los llevaron
al abandonar la casa. Y tampoco encontraron a Annette.

—Lo que me ha dicho de esa muchacha me ha intrigado —dijo Carter—. ¿Usted cree que volvió con ellos
deliberadamente?

—Eso me pareció, señor. Echó a correr escaleras
arriba mientras yo abría la puerta.

—¡Hum! Entonces debe pertenecer a la banda pero,
siendo una mujer, no debió agradarle ver morir a un

hombre tan joven. Sin duda era de la banda o de otro modo no hubiera vuelto con ellos.

—Me cuesta creer que esté de su lado, señor. Parecía tan distinta.

—¿Atractiva, supongo? —dijo Carter con una sonrisa que hizo que Tommy enrojeciera hasta la raíz de sus cabellos.

Admitió bastante avergonzado que Annette era muy bonita.

—A propósito —dijo Carter—. ¿Ha visto ya a miss Tuppence? No ha cesado de enviarme cartas hablándome de usted.

—¿Tuppence? Temía que se hubiera asustado. ¿Avisó a la policía?

Carter negó con la cabeza.

—Entonces no comprendo cómo me descubrieron.

Carter lo miró extrañado y Tommy se lo explicó. El otro asintió pensativo

—Cierto, es bastante curioso. A menos que mencionara el Ritz, casualmente.

—Es posible, señor. Pero de todas formas algo debieron averiguar acerca de mí en cuestión de horas.

—Bueno —dijo Carter mirando a su alrededor—, aquí ya no podemos hacer nada. ¿Qué le parece si comemos juntos?

—Muchísimas gracias, señor. Pero creo que será mejor que vaya a ver a Tuppence.

—Por supuesto. Le da recuerdos de mi parte, y dígale que la próxima vez no crea que puedan matarlo tan fácilmente.

Tommy sonrió.

—Soy duro de pelar, señor.

—Ya me doy cuenta —replicó Carter en tono seco—. Bien, adiós. Recuerde que ahora es un hombre marcado y debe andar con precaución.

—Gracias, señor.

Detuvo un taxi, que lo llevó al Ritz, disfrutando de antemano por la sorpresa que daría a Tuppence.

«¿Qué habrá estado haciendo? Vigilando a Rita, supongo. A propósito, Annette debió referirse a ella cuando mencionó a una tal Marguerite. Entonces no lo comprendí». El pensamiento lo entristeció un tanto, ya que parecía probar que Mrs. Vandemeyer y la joven se conocían bastante bien.

El taxi se detuvo ante el Ritz. Tommy entró ansioso en el sagrado vestíbulo. Pero su entusiasmo sufrió un rudo golpe. Le comunicaron que miss Cowley había salido un cuarto de hora antes.

Capítulo XVIII

UN TELEGRAMA

Contrariado, Tommy fue hasta el restaurante y ordenó que le sirvieran una opípara comida. Sus cuatro días de encierro le habían enseñado a apreciar el valor de los buenos alimentos.

Estaba a punto de introducir en su boca un exquisito bocado de *sole à la Jeannette* cuando vio entrar a Hersheimmer. Tommy le hizo señales con la carta del menú y consiguió atraer su atención. Al ver al muchacho, Julius abrió tanto sus ojos que parecían a punto de salírsele de las órbitas y, dirigiéndose hacia él, le estrechó la mano con un vigor que Tommy consideró innecesario.

—¡Por todos los diablos! —exclamó—. ¿Es usted de verdad?

—Pues claro. ¿Por qué no había de serlo?

—¿Que por qué no? Oiga, ¿es que no sabe que lo hemos dado por muerto? Creo que dentro de pocos días le hubiésemos ofrecido un solemne responso.

—¿Quién pensaba que había muerto? —quiso saber Tommy.

—Tuppence.

—Supongo que debió recordar el refrán: «Todos los buenos mueren jóvenes». Pero debe quedar aún en mí algo malo para haber sobrevivido. A propósito, ¿dónde está ella?

—¿No está aquí?

—No, en conserjería me dijeron que acababa de salir hace poco.

—Habrá ido de compras. Yo la traje aquí en el coche hará cosa de una hora. Pero, oiga, ¿por qué no abandona la flema británica, y entra en materia? ¿Qué diablos ha estado haciendo todo este tiempo?

—Si come aquí —replicó Tommy—, será mejor que pida. Va a ser una historia larga.

Julius acercó su silla al otro lado de la mesa, llamó al camarero y le dictó sus deseos. Luego se volvió hacia Tommy.

—Empiece. Imagino que habrá tenido algunas aventuras.

—Una o dos —replicó Tommy con modestia, pasando a relatárselas.

Julius lo escuchaba hechizado. No probó la mitad de los platos que le pusieron delante. Al fin exhaló un profundo suspiro.

—¡Bravo! ¡Parece una de esas novelas de capa y espada!

—Y ahora, ¿qué me cuenta del frente local? —dijo Tommy que alargó la mano para coger un melocotón.

—Bue... no... —dijo Julius arrastrando las palabras—. No tengo inconveniente en confesar que también hemos tenido nuestras aventuras.

Y le tocó el turno de convertirse en narrador. Empezó por las infructuosas pesquisas en Bournemouth; luego le habló del regreso a Londres, la compra del coche, la creciente ansiedad de Tuppence, la visita a sir James y los sensacionales acontecimientos de la noche anterior.

—Pero, ¿quién la mató? —preguntó Beresford—. No lo comprendo.

—El doctor se convenció a sí mismo de que ella había tomado el somnífero con la intención de suicidarse —replicó en tono seco.

—¿Y sir James? ¿Qué opina?

—Además de ser una lumbrera como abogado, es

una ostra humana —replicó Julius—. Yo diría que «se reserva su opinión».

Y continuó relatando con detalle lo sucedido aquella mañana.

—Conque ha perdido la memoria, ¿no es eso? —dijo Tommy con interés—. Cielos, eso explica por qué me miraron tan extrañados cuando yo hablé de interrogarla. ¡Ése fue un pequeño desliz por mi parte! Pero no es cosa que se le pudiera ocurrir a cualquiera.

—¿No le dieron ninguna pista de dónde puede estar Jane?

Tommy movió la cabeza con pesar.

—Ni una palabra. ¿Sabe? Soy bastante tonto. Tendría que haberles sonsacado algún dato respecto a su paradero, como fuera.

—Yo creo que tiene usted suerte de poder estar aquí ahora. Consiguió engañarlos muy bien. ¡Cuando pienso en lo oportuno que estuvo, me hago cruces!

—Estaba tan apurado que tuve que pensar algo —dijo Tommy con sencillez.

Hubo unos momentos de silencio y, al cabo, Tommy volvió a referirse al tema de la muerte de Mrs. Vandemeyer.

—¿No pudo ser otra cosa sino cloral?

—Creo que no. Por lo menos dijeron que murió de un ataque al corazón producido por una dosis excesiva de cloral. Estaba bien así. No queríamos que nos molestaran abriendo una investigación. Pero imagino que Tuppence, yo e incluso el orgulloso sir James, tuvimos la misma idea.

—¿Mister Brown? —insinuó Tommy.

—Seguro.

Tommy asintió.

—De todas formas —dijo pensativo—, mister Brown no tiene alas. No veo de qué modo pudo entrar y salir.

—¿Qué me dice de una fuerza extraordinaria para transmitir el pensamiento? Alguna influencia magnética que irresistiblemente impulsara a Mrs. Vandemeyer a suicidarse.

Tommy lo miró con deferencia.

—Bien, Julius. Muy bueno. Sobre todo la fraseología. Pero me deja frío. Yo busco a un mister Brown de carne y hueso, y creo que los jóvenes detectives deben ponerse a trabajar, estudiando las entradas y salidas y golpearse la frente hasta dar con la solución de este misterio. Volvamos al escenario del crimen. Ojalá pudiera encontrar a Tuppence. El Ritz disfrutaría del atractivo espectáculo del feliz encuentro.

En el vestíbulo dijeron que Tuppence no había regresado todavía.

—De todas formas, creo que será conveniente mirar arriba —dijo Hersheimmer—. Pudiera estar en mi saloncito. —Y desapareció.

De pronto un botones se acercó a Tommy para decirle:

—La señorita se ha ido en tren, según creo, señor —murmuró tímidamente.

—¿Qué? —Tommy se volvió en redondo.

El botones se puso como la grana.

—Le pedí un taxi, señor. Y oí que le decía al chófer que la llevara a la estación de Charing Cross y que fuera aprisa.

Tommy lo miró asombradísimo y el chico, envalentonado, continuó:

—Eso es lo que deduje, puesto que había pedido las guías de ferrocarriles Bradshaw y ABC[1].

Tommy lo interrumpió:

—¿Cuándo las pidió?

—Cuando le llevé el telegrama, señor.

—¿Un telegrama?

—Sí, señor.

—¿Cuándo fue eso?

---

1. Guías de ferrocarriles y horarios de trenes. (*N. del T.*)

—Cerca de las doce y media, señor.

—Cuéntame exactamente lo que ocurrió.

El botones tomó aliento.

—Subí un telegrama a la habitación 891. Allí estaba la señorita. Al abrirlo lanzó una exclamación y luego me dijo muy contenta: «Tráeme la ABC y la Bradshaw, y vigila, Henry». Yo no me llamo Henry, pero...

—No importa cómo te llames —dijo Tommy impaciente—. Continúa.

—Sí, señor. Se lo llevé y me dijo que aguardara, y buscó una cosa, pero al mirar el reloj me ordenó: «Date prisa. Di que me busquen un taxi», y empezó a ponerse el sombrero delante del espejo y bajó en dos segundos, casi tan rápido como yo. Luego la vi salir, meterse en el taxi y gritarle al chófer lo que le he dicho.

El muchacho se detuvo para llenar de aire sus pulmones. Tommy continuaba mirándolo. En aquel momento, Julius se unió a ellos con una carta en la mano.

—Oiga, Hersheimmer —dijo Tommy, volviéndose hacia él cuando se acercó—. Tuppence se ha ido a investigar por su cuenta.

—¡Cáscaras!

—Sí, se marchó a la estación de Charing Cross en un taxi a todo correr después de recibir un telegrama.

—Reparó en la carta que Julius tenía en la mano—. ¡Oh, le dejó una nota! Espléndido. ¿Adónde ha ido?

Casi inconscientemente alargó la mano para cogerla, pero Julius la dobló y se la guardó en el bolsillo. Parecía estar algo avergonzado.

—No tiene nada que ver con esto. Es algo bien distinto, algo que le pregunté, y ahora me da la respuesta.

—¡Ah! —Tommy, muy intrigado, parecía aguardar más explicaciones.

—Escuche —dijo Hersheimmer de pronto—. Será mejor que se lo cuente. Le pedí a miss Tuppence que se casara conmigo.

—¡Ah! —replicó Tommy, de forma automática. Se

sentía aturdido. Las palabras de Julius le habían pillado desprevenido. Por el momento le impedían pensar.

—Quiero que sepa —continuó Julius— que antes de hablar de ello con miss Tuppence dejé bien sentado que yo no deseaba interponerme entre usted y ella...

Tommy se rehízo.

—No se preocupe —dijo a toda prisa—. Tuppence y yo hemos sido amigos durante años. Pero nada más. —Encendió un cigarrillo con mano temblorosa—. Es natural, Tuppence siempre dijo que buscaba...

Se detuvo bruscamente y enrojeció, en tanto que Julius se quedaba tan campante.

—¡Oh! Me figuro que se refiere a los dólares. Miss Tuppence ya me puso al corriente. No es capaz de engañar a nadie. Estoy seguro de que nos llevaremos muy bien.

Tommy lo miró con curiosidad, como si fuera a decir algo, pero no abrió la boca. ¡Tuppence y Julius! Bueno, ¿y por qué no? ¿Acaso no se lamentaba de no conocer hombres ricos? ¿No había expresado abiertamente su intención de casarse por dinero si se le presentaba una oportunidad? Pues bien, el joven norteamericano representaba una oportunidad única... y era tonto esperar que no la aprovechase. Iba en busca de dinero. Siempre lo había dicho. ¿Por qué reprocharle el que fuese fiel a su credo?

Sin embargo, Tommy sintió un resentimiento apasionado y completamente ilógico. Estaba bien decir cosas como aquéllas... pero una mujer de verdad no se casa nunca por dinero. Tuppence era una egoísta, poseía una terrible sangre fría, y él estaría contentísimo de no volver a verla. ¡El mundo era un asco!

La voz de Julius interrumpió sus pensamientos.

—Sí, creo que nos llevaremos muy bien. He oído decir que las mujeres dicen que no la primera vez... Es como una especie de convención.

Tommy lo asió del brazo.

—¿Lo ha *rechazado*? ¿Dijo que no?

—Sí. ¿No se lo había dicho? Se limita a decir que «no» sin alegar ninguna razón. Los alemanes lo llaman el eterno femenino. Pero ya cambiará de opinión. Ya la convenceré...

Tommy lo interrumpió sin el menor decoro.

—¿Qué dice en la nota? —exigió con fiereza.

El bueno de Julius se la tendió.

—No hay la menor pista que pueda indicarnos adónde ha ido —le aseguró—. Pero puede comprobarlo usted mismo si no me cree.

La carta, escrita con la letra infantil de Tuppence, decía así:

> «*Querido Julius:*
> *Siempre es mejor decir las cosas por escrito. No me siento capaz de pensar en el matrimonio hasta que Tommy haya aparecido. Dejémoslo tal cual hasta entonces.*
> *Suya afectísima.*
>
> *Tuppence*»

Tommy se la devolvió con los ojos brillantes. Sus sentimientos habían experimentado una reacción brusca. Ahora sentía que Tuppence era toda nobleza y desinterés. ¿Acaso no había rechazado a Julius sin la menor vacilación? Cierto que la nota daba muestras de flaqueza, pero podía disculparla. Quiso dar a entender a Julius que casi era su novia, para animarlo en sus esfuerzos para encontrarlo a él, pero estaba seguro de que no era eso lo que ella quería decir. «¡Querida Tuppence, no hay en todo el mundo una muchacha como tú! Cuando la vea...» Sus pensamientos sufrieron una sacudida brusca.

—Como usted bien dice —observó, recuperando el control—, no hay el menor indicio de dónde puede haber ido. ¡Eh... Henry!

El botones acudió obediente. Tommy sacó cinco chelines de su bolsillo.

—Otra cosa más. ¿Recuerdas lo que la señorita hizo con el telegrama?

—Lo hizo una pelota y lo arrojó a la chimenea gritando: «¡Ale... op!»

—Muy gráfico, Henry —dijo Tommy—. Aquí tienes cinco chelines. Vamos, Julius. Tenemos que encontrar ese telegrama.

Subieron a toda prisa. Tuppence había dejado la llave en la puerta y la habitación estaba tal como ella la dejara. En el hogar había una bola de papel naranja y blanco.

Tommy alisó el telegrama.

«*Ven en seguida a Moat House, Ebury, Yorkshire. Grandes acontecimientos.*

Tommy»

Se miraron estupefactos. Julius fue quien habló primero.

—¿Usted no lo envió?

—Desde luego que no. ¿Qué significado puede tener?

—Me figuro que el peor —replicó Julius sin alterarse—. Que la han cogido.

—¿Qué?

—¡Seguro! Firmaron con su nombre y ella cayó en la trampa como un corderito.

—¡Cielo Santo! ¿Qué haremos ahora?

—¡Darnos prisa y salir tras ella! ¡Ahora mismo! No hay tiempo que perder. Ha sido providencial que no se llevara el telegrama. De otro modo no hubiéramos podido dar con ella. Pero hay que apresurarse. ¿Dónde está esa guía Bradshaw?

La energía de Julius era contagiosa. De haber estado solo, lo más probable es que Tommy se hubiera sentado a meditar por espacio de media hora por lo menos, antes de decidir un plan de acción, pero estando al lado de Julius Hersheimmer la rapidez era inevitable.

Después de musitar varias imprecaciones le tendió la guía Bradshaw a Tommy por estar más versado con sus misterios. Pero Tommy la rechazó y cogió la ABC.

—Manos a la obra. Ebury, Yorkshire. De King's Cross. O de Saint Pancras. El botones ha debido equivocarse. Es King's Cross, y no *Charing* Cross. Doce cincuenta, éste es el tren que tomó; el de las dos y diez ha salido ya; el siguiente es a las tres y veinte... y es un tranvía.

—¿Y si fuéramos en coche?

Tommy movió la cabeza.

—Como quiera, pero será mejor que tomemos el tren. Lo importante es conservar la calma.

Julius gimió.

—Es cierto. ¡Pero me saca de mis casillas pensar que esa joven inocente está en peligro!

Tommy asintió distraído. Estaba pensando y, al cabo de unos instantes, dijo:

—Oiga, Julius, ¿y para qué iban a quererla, eh? No lo comprendo. Quiero decir que no creo que vayan a hacerle ningún daño —explicó Tommy frunciendo el ceño debido a su esfuerzo mental—. Es un rehén, eso es lo que es. No corre peligro inmediato, ya que si nosotros averiguáramos alguna cosa, ella les sería de gran utilidad. Mientras la tengan en su poder nos tienen cogidos del cuello. ¿Comprende?

—Tiene mucha razón —repuso Julius pensativo—. Eso es.

—Además —añadió Tommy—, tengo gran fe en Tuppence.

El viaje fue pesadísimo, con muchas paradas y gran cantidad de gente. Tuvieron que cambiar dos veces de tren, una en Doncaster y otra en otro desvío poco importante.

Ebury era una estación desierta con un solo mozo, a quien Tommy se dirigió para preguntarle:

—¿Puede indicarme por dónde se va a Moat House?

—¿Moat House? Está bastante lejos. ¿Se refiere a la casa grande junto al mar?

Tommy asintió con todo descaro y, tras escuchar las minuciosas pero desconcertantes explicaciones del mozo, se dispusieron a salir de la estación. Empezaba a llover y se subieron el cuello de la americana mientras caminaban por la carretera enfangada. De pronto Tommy se detuvo.

—Espere un momento.

Y corrió de nuevo a la estación para buscar al mozo.

—Escuche, ¿recuerda a una joven que llegó en un tren anterior... en el de las doce cincuenta de Londres? Probablemente debió preguntarle el camino de Moat House.

Acto seguido le describió a Tuppence tan bien como pudo, pero el mozo negó con la cabeza. En aquel tren habían llegado diversas personas. No recordaba a ninguna joven en particular, pero estaba seguro de que nadie le había preguntado por Moat House.

Tommy fue a reunirse con Julius y se lo explicó. Comenzó a sentir el peso terrible de la depresión. Estaba convencido de que sus pesquisas resultarían infructuosas. El enemigo tenía tres horas de ventaja, y tres horas eran más que suficientes para mister Brown, que no habría pasado por alto la posibilidad de que hubieran encontrado el telegrama.

El camino parecía interminable. Una vez se equivocaron y caminaron cerca de media milla en otra dirección. Eran más de las siete cuando un chiquillo les dijo que Moat House estaba al volver la esquina.

¡Una verja ruinosa chirriando sobre sus goznes! Un camino cubierto de maleza y hojas. Aquel lugar tenía un aspecto tan siniestro que les heló el corazón. Echaron a andar por el sendero desierto; la alfombra de hojas ahogaba sus pasos. Era ya casi de noche y les parecía hallarse en un mundo fantasmal. Sobre sus cabezas las ramas oscilaban y crujían lúgubremente. De vez en cuando una hoja desprendida les sobresaltaba con el contacto helado en sus mejillas.

Al volver un recodo apareció la casa ante su vista. Los postigos estaban cerrados y los escalones que había ante la puerta cubiertos de musgo. ¿Era allí donde atrajeron con engaños a Tuppence? Costaba creer que ningún ser humano hubiera pisado el lugar durante meses.

Julius tiró de la rústica argolla de la campanilla, que resonó en el interior. Nadie acudió. Volvieron a llamar una y otra vez... pero no hubo la menor señal de vida. Entonces dieron la vuelta a la casa. Todo estaba silencioso y no se veía ni una ventana abierta. Sin duda, aquel lugar estaba desierto.

—No hay nada que hacer —dijo Hersheimmer, resignado. Lentamente volvieron sobre sus pasos hasta la verja.— Debe haber un pueblo por aquí cerca —continuó el joven norteamericano—. Será mejor que hagamos averiguaciones allí. Sabrán algo de este lugar, y si ha vivido alguien en él últimamente.

—Sí, no es mala idea.

Continuaron por el camino hasta llegar a una pequeña aldea, En las afueras encontraron a un obrero con su bolsa de herramientas a cuestas y Tommy lo detuvo con una pregunta.

—¿Moat House?

—Está deshabitada. Hace muchos años que no vive nadie allí. Si desean verla, Mrs. Sweedy tiene la llave... vive junto a la oficina de correos.

Tommy le dio las gracias y no tardaron en encontrar la oficina de correos que además era pastelería y tienda de regalos.

Llamaron a la puerta de la casa de al lado, que abrió una mujer de aspecto limpio y aseado. En seguida les entregó la llave de la casa.

—Aunque no creo que les convenga, señor. Está muy abandonada. Los techos se están cayendo. Sería necesario gastar mucho dinero en repararla.

—Gracias —dijo Tommy en tono alegre—. Sí, se está derrumbando, pero hoy en día escasean las viviendas.

—Y que usted lo diga —declaró de corazón la mujer—. Mi hija y mi yerno andan buscando una casita decente desde hace no sé cuánto tiempo. Es por la guerra. Lo ha trastornado todo. Pero, ¿no será demasiado entrada la noche para visitar la casa? ¿No sería mejor que esperaran a mañana?

—No importa. Esta noche le echaremos un vistazo. Hubiésemos llegado antes de no habernos perdido. ¿Cuál es el mejor lugar para pasar la noche por estos alrededores?

Mrs. Sweedy quedó pensativa.

—El *Yorkshire Arms*, pero no es lugar para unos caballeros como ustedes.

—¡Oh, estaremos muy bien! A propósito, ¿no ha venido una señorita hoy a pedirle la llave?

—Nadie ha preguntado por esa casa desde hace tiempo.

—Muchísimas gracias.

Regresaron a Moat House y, cuando la puerta principal se abrió crujiendo sobre sus goznes, Julius se agachó para examinar el suelo con una cerilla. Luego meneó la cabeza.

—Juraría que nadie ha pasado por aquí. Mire el polvo. Forma una capa gruesa y no se ven huellas de pisadas.

Recorrieron la casa y todo estaba por el estilo. Nadie había alterado la capa de polvo.

—Esto me extraña —dijo Hersheimmer—. No creo que Tuppence haya entrado en esta casa.

—Pues ha debido hacerlo.

Julius meneó la cabeza sin contestar.

—Volveremos mañana por la mañana —dijo Tommy—. Quizá lo veamos mejor a la luz del día.

Al día siguiente, la registraron una vez más y, a pesar suyo, hubieron de llegar a la conclusión de que la casa no había sido habitada durante un espacio de tiempo considerable y, a no ser por un afortunado descubrimiento de Tommy, se hubieran marchado del pueblo.

Cuando estaban ya cerca de la verja, se detuvo lanzando un grito; agachándose cogió algo de entre la hojarasca, que tendió a Julius. Era un pequeño broche de oro.

—¡Es de Tuppence!

—¿Está seguro?

—Absolutamente. Se lo he visto llevar muy a menudo.

Julius aspiró el aire con fuerza.

—Me figuro que es una prueba contundente. Por lo visto llegó hasta aquí. Convertiremos esa posada en nuestro cuartel general y removeremos cielo y tierra hasta dar con ella. Alguien tiene que haberla visto.

Comenzaron su campaña. Tommy y Julius trabajaron juntos y por separado, pero el resultado fue el mismo: en la vecindad no había sido vista ninguna mujer que respondiera a la descripción de Tuppence. Estaban desconcertados, pero no perdieron la esperanza. Al fin decidieron cambiar de táctica. Sin duda Tuppence no había permanecido mucho tiempo por las cercanías de Moat House, lo cual indicaba que fue traída y llevada en coche. Renovaron las averiguaciones. ¿No habían visto ningún coche detenido cerca de la casa aquel día? Tampoco tuvieron éxito.

Julius telegrafió que le enviaran su automóvil y recorrieron a diario la vecindad con celo incansable. Un coche gris en el que habían puesto sus más caras esperanzas resultó ser propiedad de una solterona respetabilísima que vivía en Harrogate.

Cada día iban tras una nueva pista. Julius, como un galgo en pos de la liebre, perseguía el rastro más leve. Cada coche que pasó por la aldea el día fatal fue identificado.

Se introdujo en las propiedades del condado y sometió a sus dueños a un examen estricto. Sus disculpas eran tan buenas como sus métodos y casi siempre conseguía apaciguar la indignación de sus víctimas; mas los días se iban sucediendo y no daban con el paradero de Tuppence. El rapto había sido tan bien planeado que la muchacha parecía haberse desvanecido materialmente en el aire.

Y otra preocupación comenzaba a hacer mella en el ánimo de Tommy.

—¿Sabe cuánto tiempo llevamos aquí? —preguntó a su compañero una mañana cuando desayunaban—. ¡Una semana! No hemos adelantado nada para encontrar a Tuppence y el próximo domingo es veintinueve.

—¡Caramba! —replicó Julius pensativo—. Casi había olvidado esa fecha. No he pensado más que en Tuppence.

—Lo mismo que yo. No me había olvidado del día veintinueve, pero me parecía que no importaba ni un comino comparado con el afán por buscar a Tuppence. Pero hoy estamos a veintitrés y el plazo se acorta. Si hemos de dar con ella, tiene que ser antes del veintinueve... después su vida tal vez no dure ni una hora. Entonces habrá terminado el juego del secuestro. Empiezo a creer que hemos cometido una gran equivocación al llevar este asunto como lo hicimos. Hemos perdido inútilmente el tiempo sin adelantar nada.

—Estoy de acuerdo con usted en esto. Somos un par de tontos que nos hemos metido en la boca un bocado mayor del que podíamos mascar. ¡Voy a dejar de hacer tonterías en el acto!

—¿Qué quiere decir?

—Va a saberlo en seguida. Haré lo que debimos haber hecho una semana atrás. Volver a Londres y poner el caso en manos de la policía británica. Nos creímos unos sabuesos. ¡Sabuesos! ¡Ha sido una estupidez! ¡Estoy harto! Esto se acabó. ¡Voy en busca de Scotland Yard!

—Tiene razón —repuso Tommy despacio—. Ojalá lo hubiéramos hecho en seguida.

—Más vale tarde que nunca. Hemos estado jugando a «¿Dónde están las llaves?» Ahora me voy a Scotland Yard para pedirles que me den la mano y me enseñen el camino a seguir. Supongo que al final los profesionales siempre vencen a los aficionados. ¿Viene usted conmigo?

Tommy negó con la cabeza.

—¿Para qué? Con uno de nosotros basta. Puedo quedarme y husmear un poco más. Tal vez surja algo nuevo. Nunca se sabe.

—De acuerdo. Bien, hasta la vista. Volveré pronto con un par de inspectores. Les pediré que me escojan a los más brillantes e inteligentes.

Pero el curso de los acontecimientos no siguió el plan trazado por Julius. Poco después Tommy recibió un telegrama:

«Reúnase conmigo en el Hotel Manchester, Midland. Noticias importantes. Julius.»

A las siete y media de la tarde, Tommy se apeaba de un tren correo. Julius lo aguardaba en el andén.

—Pensé que llegaría en este tren si mi telegrama lo encontraba en casa.

—¿Qué ocurre? ¿Ha encontrado a Tuppence?

—No. Pero encontré esto esperándome en Londres. Acaba de llegar.

Le tendió un telegrama y Tommy abrió mucho los ojos al leer:

> «*Jane Finn hallada. Venga inmediatamente al Hotel Manchester Midland.*
>
> *Peel Edgerton*»

Julius lo tomó de nuevo y lo dobló.

—Es curioso —dijo pensativo—. ¡Creí que ese abogado había renunciado ya!

Capítulo XIX

JANE FINN

El tren llegó hace cosa de media hora —explicó Julius, al acompañarlo fuera de la estación—. Calculé que usted llegaría en este tren antes de que yo dejara Londres, y por ello telegrafié a sir James. Nos ha reservado habitaciones y llegará a las ocho.

—¿Qué le hace pensar que ha dejado de interesarse por este caso? —preguntó Beresford con visible extrañeza.

—Lo que dijo —replicó Julius tajante—. ¡Ese pajarraco es más cerrado que una ostra! Como todos ellos, no quiere comprometerse hasta estar seguro de poder entregar el género.

—Quisiera saber... —dijo Tommy, pensativo.

Julius se volvió a mirarle.

—¿Qué es lo que quisiera saber?

—Si ha sido ése el motivo verdadero.

—Seguro. Puede apostar hasta la vida.

Tommy meneó la cabeza sin dejarse convencer.

Sir James llegó puntualmente a las ocho y Julius le presentó a Tommy. Sir James le estrechó la mano con calor.

—Encantado, mister Beresford. He oído hablar mucho de usted a miss Tuppence... —sonrió involuntariamente—, que casi me parece conocerlo desde hace tiempo.

—Gracias, señor —dijo Tommy con su alegre sonrisa. Miró al gran abogado con interés y, al igual que Tuppence, sintió el magnetismo de su personalidad. Le recordó a Carter a pesar de que los dos eran muy distintos. Bajo el aire cansado del uno y la reserva profesional del otro se escondía la misma inteligencia afilada como un estoque.

Al mismo tiempo, se daba cuenta del escrutinio a que lo estaba sometiendo sir James. Cuando el abogado apartó los ojos tuvo la certeza de que había leído a través de él, como en un libro abierto. No pudo saber cuál fue su juicio, ni esperaba conocerlo. Sir James se apoderaba de todo, pero daba únicamente lo que quería y pronto tuvo prueba de ello.

Una vez se hubieron saludado, Julius le hizo una avalancha de preguntas. ¿Cómo había conseguido localizar a la muchacha? ¿Por qué no les dijo que seguía trabajando en el caso? Y otras muchas.

Sir James se acarició la barbilla y sonrió.

—Bueno, ya ha aparecido —dijo al fin—. En este momento creo que es lo más importante, ¿no les parece?

—Desde luego. Pero, ¿cómo encontró su pista? Miss Tuppence y yo pensamos que había abandonado el caso definitivamente.

—¡Ah! —El abogado le dirigió una mirada escrutadora mientras volvía a acariciarse la barbilla—. ¿Así es que eso es lo que ustedes pensaron? ¿De veras? ¡Hum! Pobre de mí.

—Pero me figuro que estábamos equivocados —continuó Julius.

—Bueno, no pensaba que hubiera llegado a decirlo. Pero ha sido una gran suerte para todos que hayamos conseguido encontrarla.

—¿Dónde está? —preguntó Julius, y sus pensamientos siguieron otros derroteros—. Creí que la traería consigo.

—Eso hubiera sido imposible —dijo sir James en tono grave.

—¿Por qué?

—Porque ha sufrido un accidente y tiene heridas leves en la cabeza. La han llevado al hospital y, al recobrar el conocimiento, ha dicho llamarse Jane Finn. Cuando... ¡Ah! Al oír esto, la hice llevar a la clínica de un médico... amigo mío, y les telegrafié en seguida. Volvió a quedar inconsciente y, desde entonces, no ha vuelto a hablar.

—¿No está herida de gravedad?

—No, un cardenal y un par de cortes; la verdad, desde el punto de vista médico, es muy poco para haberle producido semejante estado y lo atribuyen más bien al trauma que le causó recobrar la memoria.

—¿La ha recobrado? —exclamó Julius excitadísimo.

Sir James golpeó la mesa con impaciencia.

—Sin duda, mister Hersheimmer, puesto que ha sido capaz de dar su verdadero nombre. Creí que habría reparado en ello.

—¿Y usted estaba en el lugar del suceso por casualidad? —dijo Tommy—. Parece un cuento de hadas.

Pero sir James era demasiado astuto como para dejarse pillar.

—Las coincidencias son a veces muy curiosas —dijo en tono adusto.

Sin embargo, ahora Tommy supo con certeza lo que antes sospechara: que la presencia de sir James en Manchester no fue accidental. Lejos de abandonar el caso, como Julius había supuesto, consiguió por medios propios dar con la muchacha desaparecida. Lo único que le intrigaba era la razón de todo aquel secreto. Y al fin decidió que debía ser producto de su mente legalista.

—Después de cenar —anunció Julius— iré a ver a Jane en seguida.

—Me temo que será imposible —dijo sir James—. No

es probable que le dejen recibir visitas a estas horas de la noche. Yo le sugiero que vaya por la mañana a las diez.

Julius enrojeció; había algo en sir James que lo convertía siempre en su antagonista. Era un choque de dos personalidades vigorosas.

—De todas formas, iré esta noche para ver si consigo romper sus absurdas reglas.

—Será inútil, mister Hersheimmer.

Las palabras sonaron como un pistoletazo, y Tommy alzó la vista sobresaltado. Julius estaba nervioso y excitado, y la mano con que cogió el vaso para llevarlo a sus labios temblaba ligeramente, aunque sus ojos siguieron desafiando la mirada de sir James. Por un momento, la hostilidad existente entre los dos hombres pareció a punto de inflamarse. Finalmente, Julius bajó los ojos derrotado.

—De momento, reconozco que es usted quien manda.

—Gracias —replicó el otro—. Entonces, ¿quedamos a las diez? —Con una gracia encantadora se volvió a Tommy—. Debo confesar, mister Beresford, que me ha sorprendido verlo aquí esta noche. Lo último que supe de usted es que sus amigos estaban muy preocupados por su paradero. No sabían nada de usted desde hacía varios días, y miss Tuppence se sentía inclinada a creer que se encontraba en apuros.

—¡Y así era, señor! —Tommy sonrió al recordarlo—. En mi vida me había visto en una situación más apurada.

Ayudado por las preguntas de sir James, le hizo un breve resumen de sus aventuras. Al terminar, el abogado lo miró con renovado interés.

—Supo usted salir airoso —le dijo en tono grave—. Lo felicito. Demostró una gran habilidad y supo representar perfectamente su papel.

Tommy enrojeció de placer ante sus alabanzas.

—No hubiera conseguido huir a no ser por esa muchacha, señor.

—No —sir James sonrió—. Tuvo suerte de caerle en gracia. —Tommy pareció dispuesto a protestar, pero sir James continuó—: Supongo que no existe la menor duda de que también pertenecía a la banda.

—Me temo que sí, señor. En un momento creí que la retenían a la fuerza, pero su modo de actuar no concordaba con esta creencia. Volvió junto a ellos cuando podía escapar.

Sir James asintió pensativo.

—¿Qué dijo ella? ¿Algo así como que quería regresar junto a Marguerite?

—Sí, señor. Supongo que se refería a Mrs. Vandemeyer.

—Siempre se firmaba Rita Vandemeyer, y todos sus amigos la conocían por Rita. No obstante, imagino que esa joven habría tomado la costumbre de llamarla por su nombre completo. ¡Y en el momento en que la llamaba, Mrs. Vandemeyer estaba muriendo o había fallecido ya! ¡Es curioso! Hay una o dos cosas que no veo claras... por ejemplo, su repentino cambio de actitud hacia usted. A propósito, supongo que registraría la casa...

—Sí, señor, pero todos habían alzado el vuelo.

—Es natural —dijo sir James secamente.

—Y no dejaron el menor rastro.

—Me pregunto... —El abogado tambaleó con sus dedos encima de la mesa, pensativo.

El tono de su voz hizo que Tommy alzara los ojos. ¿Es que acaso aquel hombre había visto algo que pasó inadvertido a los demás?

—¡Ojalá hubiera estado usted aquí cuando registramos la casa! —exclamó impulsivamente.

—A mí también me hubiera gustado —repuso sir James con calma y, tras guardar silencio unos instantes, alzó los ojos—. Y desde entonces... ¿qué ha estado usted haciendo?

Tommy lo miró de hito en hito y luego comprendió que el abogado no estaba enterado.

—Olvidaba que no sabía usted lo de Tuppence —dijo despacio. Volvió a sentir aquella ansiedad enfermiza, que había olvidado con la excitación de saber que al fin habían encontrado a Jane Finn.

El abogado dejó caer sobre la mesa el cuchillo y el tenedor.

—¿Le ha ocurrido algo a miss Tuppence? —Su tono era cortante.

—Ha desaparecido —dijo Hersheimmer.

—¿Cuándo?

—Hace una semana.

—¿Cómo?

Sir James lanzaba sus preguntas como disparos. Entre Tommy y Julius le contaron la historia de aquella semana y su inútil búsqueda.

Sir James fue en seguida a la raíz del asunto.

—¿Un telegrama firmado con su nombre? Sabían lo bastante sobre los dos para hacer semejante cosa. No estaban muy seguros de lo que usted habría descubierto en esa casa. El secuestro de miss Tuppence es la represalia por su huida. De ser necesario podrían sellarle los labios con la amenaza de lo que pudiera sucederle a ella.

Tommy asintió.

—Eso es lo que yo he pensado, señor.

—¿Usted lo ha pensado? —Sir James lo miró con atención—. No está mal... No está nada mal. Lo curioso es que no sabían nada de usted cuando lo hicieron prisionero. ¿Está seguro de que no descubrió su identidad usted mismo?

Tommy negó con la cabeza.

—Así es —intervino Julius—. Por lo tanto reconozco que alguien les puso al corriente... y no antes del domingo por la tarde.

—Sí, ¿pero quién?

—¡El poderoso e inmenso mister Brown, por supuesto!

Había cierto matiz irónico en la voz del joven norteamericano que hizo que sir James lo mirara en el acto.

—¿No cree usted en mister Brown, mister Hersheimmer?

—No, señor —replicó éste con énfasis—. Es decir, no creo en él como tal. Pienso que es un fantasma, un espectro... Sólo un nombre con el que se asusta a los niños. El cabecilla verdadero de este tinglado es ese ruso... Kramenin. Lo creo capaz de organizar revoluciones en tres países a la vez si se lo propone. Whittington es probablemente el cabecilla de la rama inglesa.

—No estoy de acuerdo con usted —replicó sir James tajante—. Mister Brown existe. —Se volvió a Tommy—. ¿Se fijó desde dónde fue enviado el telegrama?

—No, señor, me temo que no.

—¡Hum! ¿Lo lleva encima?

—Está arriba, señor, en mi maletín.

—Me gustaría echarle un vistazo, pero no hay prisa. Ya han perdido una semana. —Tommy agachó la cabeza—. Un día o dos más no tienen importancia. Primero nos ocuparemos de miss Jane Finn. Después nos pondremos a trabajar de firme para rescatar a miss Tuppence. No creo que corra peligro inminente. Es decir, en tanto ellos ignoren que tenemos a Jane Finn y que ha recobrado la memoria. Debemos mantenerlo en secreto a toda costa. ¿Comprendido?

Los dos jóvenes asintieron y, tras quedar de acuerdo para la mañana siguiente, el gran abogado se despidió.

A las diez en punto, Tommy y el norteamericano estaban en el lugar acordado. Sir James se había reunido con ellos en la puerta y era el único que no parecía excitado. Les presentó al médico.

—Mister Hersheimmer. Mister Beresford. Doctor Roylance. ¿Cómo está la paciente?

—Sigue bien y evidentemente no tiene idea del tiempo transcurrido. Esta mañana preguntó cuántos se habían salvado del *Lusitania*. Y si había aparecido ya la lista en los periódicos. Claro que esto era de esperar. Aunque creo que está preocupada por algo.

—Me parece que podremos aliviar su ansiedad. ¿Nos permite subir a verla?

—Desde luego.

A Tommy el corazón comenzó a latirle más deprisa mientras subía la escalera detrás del médico. ¡Al fin Jane Finn! ¡La anhelada, la misteriosa y escurridiza Jane Finn! ¡Qué difícil le había parecido el éxito! Y aquí, en esta casa, con la memoria recobrada casi milagrosamente, yacía la muchacha que tenía en sus manos el futuro de Inglaterra. De sus labios escapó algo parecido a un gemido. ¡Si Tuppence hubiera podido estar a su lado para compartir el final triunfante de su aventura! Luego apartó de su mente el recuerdo de Tuppence. Su confianza en sir James iba en aumento. Aquel hombre lograría descubrir el paradero de Tuppence. ¡Pero ahora, Jane Finn! Y de pronto un repentino temor atenazó su corazón. Parecía demasiado fácil... ¿Y si la encontraban muerta... asesinada por la mano del mister Brown?

Al minuto siguiente se reía de sus fantasías. El doctor abrió la puerta de una habitación, y entraron. En la cama blanca yacía la muchacha con la cabeza vendada. En cierto modo parecía una escena irreal y daba la impresión de haber sido escenificada a la perfección.

La muchacha miró a cada uno de los recién llegados con sus grandes ojos ausentes. Sir James habló primero.

—Miss Finn —le dijo—, éste es su primo, mister Julius P. Hersheimmer.

Un ligero rubor coloreó el rostro de la joven, mientras Julius se adelantaba para estrecharle la mano.

—¿Cómo estás, prima Jane? —dijo en tono alegre.

Pero Tommy captó el temblor de su voz.

—¿Eres tú realmente el hijo de tío Hiram? —le preguntó.

Su voz, con el cálido acento del oeste, tenía un matiz casi emocionante, y a Tommy le resultó vagamente familiar, aunque lo consideró imposible.

—Pues claro.

—Solíamos leer cosas de tío Hiram en los periódicos —continuó la muchacha con su voz suave—. Pero nunca pensé que llegaría a conocerte. Mi madre se figuraba que tío Hiram nunca haría las paces con ella.

—El viejo era así —admitió Julius—. Pero creo que la nueva generación es distinta. No sirven de nada las peleas familiares. Lo primero que pensé, al terminar la guerra, fue venir a buscarte.

El rostro de la joven se ensombreció.

—Me han estado contando cosas... cosas terribles... que he perdido la memoria, y que hay años que no recordaré nunca... años de mi vida perdidos.

—¿No te diste cuenta?

La muchacha abrió los ojos como platos.

—Pues no. Me parece como si no hubiese pasado nada desde que subimos a los botes. ¡Lo veo como si estuviera pasando ahora! —Cerró los ojos con un estremecimiento.

Julius miró a sir James, que asintió

—No te atormentes más. No vale la pena. Ahora escucha, Jane, hay algo que quiero que me digas. A bordo iba un hombre que era portador de un documento importante, y los grandes personajes de este país dicen que te lo entregó a ti. ¿Es cierto?

La muchacha vaciló con la mirada puesta en los otros dos.

Julius comprendió.

—Mister Beresford está autorizado por el gobierno inglés para devolver este documento a su país. Sir James Peel Edgerton es miembro del parlamento inglés, y podría tener un cargo en el gabinete si quisiera. Gracias a él hemos podido dar al fin contigo. De modo que puedes contarnos toda la historia. ¿Te dio Danvers los papeles?

—Sí. Dijo que yo tenía más posibilidades de salvarme, ya que primero embarcaban las mujeres y los niños.

—Lo que habíamos imaginado —dijo sir James.

—Dijo que eran muy importantes... que podrían hacer que todo cambiara para los aliados. Pero si ha pasado tanto tiempo y la guerra ha terminado, ¿qué puede importar ahora?

—Imagino que la historia se repite, Jane. Primero se armó gran alboroto y se lamentó la pérdida de esos papeles, y luego se fue apaciguando. Ahora ha vuelto a surgir de nuevo toda esa cuestión por distintas razones. ¿Entonces puedes entregárnoslos en seguida?

—No puedo.

—¿Qué?

—No los tengo.

—¿Qué tú... no los tienes? —Julius subrayó las palabras con pequeñas pausas.

—No... los escondí.

—¿Los escondiste?

—Sí. Estaba intranquila. Me parecía que me vigilaban, me asusté... muchísimo. —Se llevó la mano a la cabeza—. Es casi lo último que recuerdo antes de despertarme en el hospital...

—Continúe —dijo sir James—. ¿Qué es lo que recuerda?

Jane se volvió a él obediente.

—Estaba en Holyhead. Fui a parar ahí... no recuerdo por qué...

—Eso no importa. Continúe.

—Me escurrí entre la confusión del muelle. Nadie me vio. Tomé un taxi y le dije al conductor que me llevara fuera de la población. Cuando llegamos a la carretera, miré si nos seguía algún coche, pero no era así. Vi un camino al otro lado de la carretera, y le dije al taxista que esperara.

Hizo una pausa y continuó:

—El camino llevaba a un acantilado que bajaba hasta el mar entre grandes arbustos amarillentos... que eran como llamas doradas. Miré a mi alrededor. No se veía ni un alma, y precisamente a la altura de mi cabeza había un hueco en la roca... bastante pequeño... sólo me cabía la mano, pero era profundo. Cogí el envoltorio impermeable que llevaba colgando del cuello y lo introduje lo más adentro que me fue posible. Luego arranqué unos matojos... ¡Y cómo pinchaban!, pero cubrían el agujero tan bien que nadie hubiera imaginado que allí había una cavidad. Entonces grabé en mi memoria aquel lugar para que pudiera volver a encontrarlo. Precisamente había una piedra muy curiosa... parecía un perro sentado pidiendo limosna.

»Luego regresé a la carretera donde me aguardaba el taxi y, una vez de regreso, cogí el tren algo avergonzada por mi exceso de imaginación; pero poco a poco vi que un hombre sentado ante mí guiñaba un ojo a la mujer que estaba sentado a mi lado, y volví a sentirme asustada, y me alegré de haber puesto a salvo los papeles. Salí al pasillo a tomar un poco de aire y con la idea de trasladarme a otro vagón. Mas aquella mujer me llamó diciéndome que se me había caído no sé qué y, cuando me agaché para mirar, algo me golpeó... aquí...

Señaló con la mano la parte posterior de su cabeza.

Hubo una pausa.

—Gracias, miss Finn —manifestó sir James—. Espero que no la hayamos cansado demasiado.

—¡Oh! No tiene importancia. Me duele un poco la cabeza, pero por lo menos me encuentro bien.

Julius, adelantándose, volvió a estrecharle la mano.

—Hasta la vista, prima Jane. Voy a estar ocupado hasta que encuentre esos papeles, pero volveré en un abrir y cerrar de ojos, y haré que pases la temporada

208 — *Agatha Christie*

más divertida de tu vida en Londres antes de que regresemos a Estados Unidos. Te lo prometo... de modo que date prisa en ponerte buena.

Capítulo XX

DEMASIADO TARDE

En la calle sostuvieron una especie de consejo de guerra. Sir James consultó su reloj de bolsillo.

—El tren que enlaza con el transbordador que va a Holyhead se detiene en Chester a las doce catorce. Si se marchan en seguida, creo que podrán alcanzarlo.

Tommy lo miró extrañado.

—¿Es necesaria tanta prisa, señor? Hoy es veinticuatro.

—Creo que siempre es conveniente madrugar —dijo Hersheimmer antes de que el abogado tuviera tiempo de replicar—. Iremos en seguida a tomar el tren.

Sir James frunció ligeramente el entrecejo.

—Ojalá pudiera acompañarlos. Pero tengo que hablar en una reunión a las dos. Es una lástima.

La contrariedad que manifestaba su tono era evidente. Por el otro lado, también era obvia la satisfacción de Julius al verse libre de su compañía.

—Creo que no se trata de nada complicado —observó—. Sólo de jugar al escondite.

—Eso espero —replicó sir James.

—Seguro. ¿Qué otra cosa iba a ser si no?

—Es usted muy joven todavía, mister Hersheimmer. A mi edad es probable que haya aprendido una lección: «Nunca desprecies a tu enemigo».

La gravedad de su tono impresionó a Tommy, aunque causó poco efecto en Julius.

—¡Usted cree que mister Brown va a venir a meter las narices! Si lo hace, me encontrará preparado. —Se palpó el bolsillo—. Llevo un arma. La pequeña Willie va conmigo a todas partes. —Sacó una automática que acarició con cariño antes de volverla a su sitio—. Pero esta vez no voy a necesitarla. No hay nadie que pueda avisar a mister Brown.

El abogado se encogió de hombros.

—Nadie pudo avisar a mister Brown de que Mrs. Vandemeyer iba a traicionarlo y, sin embargo, Mrs. *Vandemeyer murió sin hablar ni una palabra*.

Por una vez Julius no supo qué responder y sir James añadió de mejor humor:

—Sólo quiero ponerlos en guardia. Adiós y buena suerte. No corran riesgos innecesarios una vez tengan el documento en su poder. Si tienen algún motivo para creer que los han seguido, destrúyanlo en seguida. Les deseo buena suerte. Ahora la partida está en sus manos.

Les estrechó la mano a los dos.

Diez minutos más tarde los dos jóvenes se hallaban sentados en un compartimiento de primera clase *en route* para Chester.

Durante un buen rato ninguno habló y, cuando al fin Julius rompió el silencio, fue con un comentario totalmente inesperado.

—Oiga —observó pensativo—, ¿alguna vez se ha enamorado como un tonto del rostro de una chica?

Tommy, tras un instante de asombro, se esforzó en recordar.

—No sabría decirlo —replicó—. Por lo menos ahora no lo recuerdo. ¿Por qué?

—Porque durante los dos últimos meses, me he convertido en un sentimental por culpa de Jane. Desde el primer momento en que vi su fotografía, el corazón me dio todos esos vuelcos de que hablan en las novelas. Me avergüenza confesarlo, pero vine decidido a encontrarla y convertirla en la esposa de Julius P. Hersheimmer.

—¡Oh! —exclamó Tommy asombrado.

Julius extendió las piernas con un movimiento brusco mientrás añadía:

—¡Eso demuestra lo tonto que puede llegar a ser uno! ¡Una sola mirada a la chica en persona... y me he curado!

—¡Oh! —exclamó Tommy de nuevo al no saber qué decir sobre la cuestión.

—No es que desprecie a Jane —continuó el otro—. Es una muchacha encantadora y capaz de enamorar a cualquiera.

—La encuentro muy atractiva —dijo Tommy recobrando al fin el habla.

—Claro que lo es. Pero no se parece en nada a la fotografía. Bueno, en cierto sentido sí... puesto que la reconocí en seguida. De haberla visto en media de una multitud, hùbiese dicho sin dudar: «Esta cara la conozco». Pero había un algo en la foto... —Julius exhaló un largo y significativo suspiro—. ¡El amor es algo muy extraño!

—Debe serlo —dijo Tommy con frialdad—, cuando usted vino aquí enamorado de una muchacha, y le propone matrimonio a otra en menos de quince días.

Julius tuvo el pudor de ruborizarse.

—Pues verá, tuve una especie de presentimiento y creí que nunca lograría encontrar a Jane... y de todas formas, fue una tontería creerme enamorado de ella. Y luego... ¡Oh, bueno...! Los franceses, por ejemplo, ven las cosas de un modo mucho más sencillo. Consideran que el amor y el matrimonio son cosas distintas...

Tommy enrojeció.

—¡Bueno, que me ahorquen! ¡Si eso es lo...!

Julius se apresuró a interrumpirlo.

—Escuche, no se precipite. No quise decir lo que

usted ha entendido. Los norteamericanos tenemos una moral mucho más elevada que ustedes. Lo que he querido decir es que los franceses ven el matrimonio por el lado comercial... buscan una persona que les convenga, miran la cuestión económica y consideran todo el tema con espíritu práctico y sentido comercial.

—En mi opinión —replicó Tommy—, hoy en día somos demasiado materialistas. Siempre decimos: ¿Me conviene? Los hombres somos bastante malos, y las mujeres peores todavía.

—Cálmese, hombre. No se acalore.

—Pues lo estoy —dijo Tommy.

Julius, al contemplarlo, decidió que lo mejor era no decir nada.

No obstante, Tommy tuvo tiempo de calmarse antes de llegar a Holyhead y, cuando llegaron a su destino, su alegre sonrisa había vuelto a su rostro.

Tras preguntar un poco y con la ayuda de un mapa, decidieron el rumbo a seguir y, sin más dilación, tomaron un taxi que los condujo a la carretera que lleva a Treaddur Bay. Dijeron al conductor que fuera despacio y vigilaron con suma atención el recorrido, buscando el camino. Lo encontraron poco después de dejar la ciudad y Tommy hizo detener el taxi, preguntando en tono casual si llevaba hasta el mar. Al oír la respuesta afirmativa, lo despidió después de pagar el importe del viaje al que añadió una generosa propina.

Momentos después, el coche regresaba lentamente a Holyhead. Tommy y Julius, tras perderlo de vista en un recodo, echaron a andar por el estrecho sendero.

—Supongo que será éste —dijo Tommy sin convicción—. Debe haber muchísimos parecidos por los alrededores...

—Seguro. Mire estos arbustos. ¿Recuerda lo que dijo Jane?

Tommy contempló los arbustos cuajados de florecillas doradas que bordeaban el camino y se convenció.

Bajaron uno detrás del otro. Julius iba delante. En dos ocasiones, Tommy volvió la cabeza intranquilo. Julius miró atrás.

—¿Qué ocurre?

—No lo sé. Estoy inquieto. Tengo la impresión de que alguien nos sigue.

—No es posible —replicó Julius—. Lo hubiéramos visto.

Tommy tuvo que admitir que era cierto. Sin embargo, su inquietud se acentuó, A pesar suyo, creía en la omnipresencia del enemigo.

—Casi preferiría que viniera ese individuo —comentó Julius, palpando su bolsillo—. ¡La pequeña Willie está deseando hacer ejercicio!

—¿Siempre la lleva... consigo? —preguntó Beresford en voz alta, con evidente curiosidad.

—Casi siempre. Nunca se sabe lo que puede ocurrir.

Tommy guardó un respetuoso silencio. Se sentía impresionado por la pequeña Willie. Parecía alejar la amenaza de mister Brown.

El camino corría al borde del acantilado, paralelo al mar. De pronto Julius se detuvo tan bruscamente que Tommy tropezó con él.

—¿Qué ocurre? —quiso saber.

—Mire ahí. ¡Ahora ya no pueden haber dudas!

Tommy miró donde le indicaba. En medio del camino, casi bloqueando el paso, había una piedra que ciertamente recordaba la silueta de un perro mendigando.

—Bien —replicó Tommy sin participar del entusiasmo de Julius—, es lo que esperábamos, ¿no?

Julius lo miró con pesar y meneó la cabeza.

—¡La flema británica! Claro que lo esperábamos... pero de todas formas, me emociona verlo ahí, donde pensábamos encontrarlo.

Tommy, cuya calma era tal vez más aparente que natural, avanzó impaciente.

—Siga. ¿Y el agujero?

Observaron la pared del acantilado palmo a palmo.

Tommy se escuchó a sí mismo que decía como un idiota:

—Los arbustos habrán desaparecido después de tanto tiempo.

—Supongo que tiene usted razón —replicó Julius

De repente, Beresford señaló con mano temblorosa.

—¿Y esa grieta de ahí?

—Ésa es... seguro —dijo Julius con la voz alterada.

Se miraron.

—Cuando estuve en Francia —dijo Tommy—, siempre que mi asistente se olvidaba de llamarme, decía que le había pasado algo extraño. Yo nunca lo creí. Pero la sintiera o no, esa sensación existe. ¡Ahora la siento! ¡Muy fuerte!

Miró a la roca con una especie de pasión arrebatadora.

—¡Maldita sea! —exclamó—. ¡Es imposible! ¡Cinco años! ¡Piénselo! Niños que buscan nidos, excursionistas, cientos de personas habrán pasado por aquí. ¡Existe una oportunidad contra cien de que aún siga aquí! ¡Desafía a la razón!

Le parecía imposible, además, quizá por que no podía creer en su propio éxito donde tantos otros habían fracasado. Era demasiado sencillo y, por lo tanto, no era posible. El agujero estaría vacío.

Julius lo miraba con una amplia sonrisa.

—Me parece que ahora está bien aturdido —exclamó con cierto regocijo—. ¡Bien, allá va! —Introdujo su mano en la grieta. Hizo una mueca—. Es muy estrecha. La mano de Jane debe ser mucho más pequeña que la mía. No encuentro nada... no... oiga, ¿qué es esto? ¡Aquí está! —Con un además triunfal sacó un pequeño envoltorio descolorido—. Tiene que ser el documento. Está cosido dentro de un envoltorio impermeable. Sosténgalo mientras saco mi cortaplumas.

Lo increíble había ocurrido. Tommy sostuvo el envoltorio entre sus manos con ternura. ¡Habían triunfado!

—Es curioso —comentó—, cualquiera diría que las puntadas tendrían que esta podridas y. en cambio, parecen nuevas.

Las cortaron con sumo cuidado y quitaron la envoltura impermeable. En su interior encontraron una hoja de papel que desdoblaron con manos temblorosas. ¡Era una página en blanco! Se miraron extrañados.

—¿Será un engaño? —preguntó Julius—. ¿Danvers no era más que un señuelo?

Tommy meneó la cabeza. Aquella solución no le satisfacía, y de pronto su rostro se iluminó.

—¡Ya lo tengo! ¡Tinta simpática!

—¿Usted cree?

—De todas formas, vale la pena probarlo. Por lo general, el calor la vuelve visible. Traiga algunas ramas. Haremos un fuego.

A los pocos minutos una pequeña hoguera de ramas y hojas ardía alegremente. Tommy mantuvo la hoja de papel cerca de la llama; el papel se curvó ligeramente por el calor, pero nada más.

De pronto Julius le asió del brazo, señalándole unos caracteres de color marrón que iban apareciendo poco a poco.

—¡Bravo! ¡Hemos dado con él! Oiga, ha tenido usted una gran idea. A mí no se me hubiera ocurrido.

Tommy mantuvo el papel en la misma posición durante algunos minutos más, hasta que consideró que el calor había realizado su trabajo. Luego lo retiró. Momentos después lanzaba un grito—

En el centro de la hoja de papel y en letras de imprenta de color castaño se leía claramente:

CON LOS SALUDOS DE MISTER BROWN

Capítulo XXI

TOMMY HACE UN DESCUBRIMIENTO

Durante unos instantes los dos se contemplaron como unos tontos, aturdidos por la sorpresa. De manera inexplicable mister Brown se les había adelantado. Tommy aceptó la derrota con calma, no así Julius.

—¿Cómo diablos ha podido llegar antes que nosotros? ¡Eso es lo que me pone fuera de mí!

—Eso explica que las puntadas fuesen tan nuevas —contestó Tommy, desanimado—. Podíamos haberlo adivinado...

—No importan esas malditas puntadas. ¿Cómo pudo llegar antes que nosotros? Vinimos casi volando. Es imposible que se nos adelantara. De todas formas, ¿cómo lo supo? ¿Usted cree que había un micrófono en la habitación de Jane? Yo supongo que sí.

Pero el sentido común de Tommy le señaló otras objeciones.

—Nadie pudo saber de antemano que iba a ir a esa casa y, mucho menos, a qué habitación.

—Es cierto —admitió Julius—. Entonces una de las enfermeras debió espiar detrás de la puerta. ¿Qué le parece?

—De todas formas, no creo que importe —dijo Tommy contrariado—. Pudo haberlo encontrado hace meses, y cambiar los papeles entonces... No, eso es imposible. Lo hubieran publicado en seguida.

—¡Segurísimo! No, alguien se nos ha adelantado hoy, por una hora más o menos. pero lo que me toca la moral es cómo lo han sabido.

—Ojalá estuviera aquí Peel Edgerton —dijo Tommy, pensativo.

—¿Por qué? —Julius lo miró extrañado—. El mal ya estaba hecho cuando llegamos.

—Sí... —Tommy vacilaba sin saber cómo expresar su sentir... la absurda creencia de que, de haber estado allí el abogado, se hubiera evitado la catástrofe. Después se reafirmó en su punto de vista inicial—. De nada sirve discutir sobre cómo ha ocurrido. La partida ha terminado y hemos fracasado. Sólo queda una cosa por hacer.

—¿Cuál es?

—Regresar a Londres lo antes posible para avisar a mister Carter. Ahora sólo es cuestión de horas para que estalle el desastre. Pero de todas formas, debe saber lo peor.

La tarea era ingrata, pero Tommy no pensaba eludirla. Debía informar a mister Carter de su fracaso. Con eso concluía su trabajo. A medianoche tomó el tren correo de regreso a Londres. Julius prefirió pasar la noche en Holyhead.

Media hora después de su llegada, pálido y cansado, Tommy se presentaba ante su jefe.

—He venido a informarle, señor. He fracasado... fracasado rotundamente.

Mister Carter le miró con atención.

—¿Quiere decir que el tratado... ?

—Está en manos de mister Brown.

—¡Ah! —dijo Carter, en voz baja. Su rostro no cambió de expresión, pero Tommy captó en sus ojos un destello de desesperación. Le convenció de que ya no quedaba ninguna esperanza.

—Bien —dijo Carter tras un silencio—. Supongo que no vamos a ponernos de rodillas. Celebro saberlo definitivamente. Hemos de hacer lo que podamos.

«¡No hay ninguna esperanza, y él lo sabe!» pensó Tommy.

Mister Carter lo miró.

—No lo tome tan a pecho, muchacho —le dijo en tono amable—. Ha hecho cuanto ha podido. Se enfrentó a uno de los más formidables cerebros de este siglo. Y ha estado usted muy cerca del éxito. Recuérdelo.

—Gracias, señor. Es usted muy amable.

—La culpa es mía. Me lo he estado reprochando desde que escuché las otras noticias.

Su tono atrajo la atención de Tommy que le hizo sentir nuevos temores.

—¿Hay... algo más, señor?

—Me temo que sí —replicó Carter en tono grave mientras cogía una hoja de papel que había sobre su mesa.

—¿Tuppence? —tartamudeó Tommy.

—Lealo usted mismo.

Las letras escritas a máquina bailaban ante sus ojos; describían un sombrerito verde, un abrigo con un pañuelo en uno de sus bolsillos marcado con las iniciales PLC. Tommy dirigió a Carter una mirada de súplica.

—Aparecieron en la costa de Yorkshire... cerca de Ebury —le informó Carter—. Me temo que... ha sido víctima de un atentado.

—¡Dios mío! —exclamó Tommy—. ¡Tuppence! Esos diablos... no descansaré hasta haber acabado con ellos. ¡Los perseguiré! Los...

La compasión que reflejaba el rostro de Carter lo detuvo.

—Sé lo que siente, mi pobre amigo. Pero no va a servirle de nada. Gastará su energía inútilmente. Tal vez le parezca algo duro, pero mi consejo es éste: contenga su impulso. El tiempo todo lo cura, y olvidará.

—¿Olvidar a Tuppence? ¡Nunca!

—Eso piensa usted ahora —Carter meneó la cabeza—. Bueno, yo tampoco puedo soportar la idea... ¡Esa muchacha tan valiente! Lo siento mucho... muchísimo.

Tommy se rehízo con esfuerzo.

—Lo estoy entreteniendo, señor —dijo—. No tiene por qué reprocharse nada. Fuimos un par de tontos al acometer semejante empresa. Usted ya nos lo advirtió. Pero hubiera preferido ser yo la víctima. Adiós, señor.

De nuevo en el Ritz, Tommy recogió como un automata sus pocas pertenencias. Sus pensamientos estaban muy lejos. No asimilaba la tragedia que se había introducido en su tranquila existencia. ¡Con lo que él y Tuppence se habían divertido juntos! Y ahora... ¡Oh, no podía creerlo...! No podía ser cierto. *¡Tuppence... muerta!* La pequeña Tuppence, rebosante de vida. Era un sueño, una horrible pesadilla, pero nada más...

Le trajeron una nota... unas breves palabras de simpatía de Peel Edgerton, que había leído la noticia en los periódicos, en los que aparecía bajo un gran titular: «SE TEME QUE HAYA MUERTO AHOGADA UNA EX AUXILIAR FEMENINA». La carta terminaba con el ofrecimiento de un empleo en un rancho de la Argentina, donde sir James tenía intereses considerables.

—¡Qué amable! —musitó Tommy, mientras la arrojaba sobre la mesa.

Se abrió la puerta y entró Julius con su habitual violencia. Sostenía un periódico abierto en la mano.

—Oiga, ¿qué significa esto? Parece que han publicado una noticia falsa acerca de Tuppence.

—Es cierta —dijo Tommy sin alterarse.

—¿Quiere decir que la han asesinado?

Tommy asintió.

—Supongo que, al apoderarse del documento, ella ya no les servía de nada y la eliminaron por miedo a dejarla en libertad.

—Bueno, que me ahorquen —exclamó Julius—. La

pequeña Tuppence... la muchacha más valiente del mundo...

De pronto, algo pareció romperse en el interior de Tommy, que se puso en pie.

—¡Oh, márchese! ¡A usted no le importaba de verdad! Le pidió que se casara con usted con esa forma fría que tiene de hacer las cosas, pero yo la amaba. Hubiera dado mi vida por evitarle el menor daño y hubiese dejado que se casase con usted sin pronunciar palabra, porque no podía darle lo que se merecía. Yo sólo soy un pobre diablo sin un céntimo. ¡Pero no hubiera sido porque no me importase!

—Escúcheme... —empezó a decir Julius.

—¡Oh, váyase al diablo! No puedo soportar que venga aquí a hablarme de «la pequeña Tuppence». Vaya y cuide de su prima. ¡Tuppence es mi chica! Siempre la he querido... desde que jugábamos siendo niños y cuando crecimos la quise igual. Nunca olvidaré cuando yo estaba en el hospital y la vi aparecer con aquel delantal y la ridícula cofia. Era como un milagro ver a la muchacha que amaba vestida de enfermera.

Julius lo interrumpió.

—¡Vestida de enfermera! ¡Ya lo tengo! ¡Debo ir a Colney Hatch! Juraría que también he visto a Jane vestida de enfermera. ¡Y eso es imposible! No. ¡Ya lo tengo! Fue a ella a quien vi hablando con Whittington en la clínica de Bournemouth. ¡No era una paciente! ¡Era enfermera!

—Me atrevo a decir —dijo Tommy, enfadado— que probablemente ha estado con ellos desde el principio. No me extrañaría que hubiese sido ella quien robara a Danvers esos papeles para empezar.

—¡Que me ahorquen si lo hizo! —gritó Julius—. Es mi prima, y tan patriota como la que más.

—¡No me importa en absoluto lo que sea, pero salga de aquí! —replicó Tommy, también a voz en grito.

Los dos jóvenes estaban a punto de llegar a las

manos, cuando de pronto el furor de Julius se apaciguó como por arte de magia.

—De acuerdo, muchacho —dijo con calma—. Ya me marcho. No le reprocho nada de lo que me ha dicho. Ha sido una suerte que lo dijera. He sido el ciego más estúpido que es posible imaginar. Cálmese. —Tommy había hecho un gesto de impaciencia—. Ahora me marcho... por si le interesa saberlo, a la estación del Noroeste.

—No me importa en absoluto a dónde vaya —gruñó Tommy.

Cuando la puerta se hubo cerrado tras Julius, volvió a ocuparse de su equipaje.

—Listo —murmuró y tocó el timbre—. Bajen mi equipaje.

—Sí, señor. ¿Se marcha el señor?

—Sí, al infierno —replicó sin preocuparle los sentimientos del empleado.

No obstante, el hombre le respondió amablemente:

—Bien, señor. ¿Quiere que avise un taxi?

Tommy asintió: ¿A dónde iba? No tenía la más ligera idea. Aparte de la determinación de acabar con mister Brown, no tenía plan alguno. Releyó la carta de sir James. Tenía que vengar a Tuppence. No obstante, Edgerton era muy amable.

«Supongo que será mejor que le conteste». Y se dirigió a la mesita dispuesta a este efecto. Con la acostumbrada perversidad de todos los hoteles, había muchos sobres, pero ninguna hoja de papel. Llamó, y nadie acudió. Tommy maldijo aquel retraso, pero entonces recordó que había papel de carta en la salita de Julius y, como el norteamericano le anunció su partida inmediata, no era de temer que se tropezase con él. Además, no le hubiera importado. Empezaba a avergonzarse de las cosas que le había dicho. Julius supo tomarlo muy bien y, si lo encontraba, se disculparía.

Pero la habitación estaba desierta. Tommy se dirigió al escritorio y abrió el cajón central. Le llamó la atención una fotografía que había en su interior y, por un momento, quedó como clavado en el suelo. Luego la cogió, cerró el cajón dirigiéndose a una butaca y se sentó con ella en la mano para contemplarla.

¿Qué diablos hacia la fotografía de la francesita Annette en el escritorio de Julius Hersheimmer?

Capítulo XXII

EN DOWNING STREET

El primer ministro tabaleó con dedos nerviosos sobre su escritorio. Su rostro denotaba cansancio y desánimo al proseguir la conversación que sostenía con Carter en el punto en que fue interrumpida.

—No lo comprendo —dijo—. ¿De verdad cree que las cosas después de todo no han llegado a un extremo desesperado?

—Eso piensa ese muchacho.

—Volvamos a leer su carta.

Carter se la entregó. Estaba escrita con letra juvenil.

> «Querido señor Carter:
> He descubierto algo que me ha sorprendido. Claro que tal vez no tenga importancia, pero no lo creo. Si mis conclusiones son acertadas, esa chica de Manchester era una impostora. Todo fue planeado de antemano, así como lo del maldito paquete, con el objeto de hacernos creer que el juego había terminado; por lo tanto, creo que debíamos estar muy cerca de la verdadera pista.
> Creo saber quién es la verdadera Jane Finn, y también tengo una idea de dónde puede estar el documento. Claro que esto último es sólo una corazonada, pero tengo el presentimiento de que

acertaré. *De todas formas, lo incluyo en un sobre lacrado por si hiciera falta. Le ruego que no lo abra hasta el último momento, es decir, a las doce de la noche del día veintiocho. Lo comprenderá en seguida. Verá, he deducido que lo de Tuppence es también falso y que está tan viva como yo. Mis razonamientos son éstos: como última oportunidad, dejarán escapar a Jane Finn con la esperanza de que haya estado fingiendo haber perdido la memoria y, que una vez se vea libre, vaya directamente al lugar donde lo escondió. Claro que corren un gran riesgo, ya que ella conoce todos los secretos, pero están desesperados por apoderarse del documento. No obstante, si descubrieran que el documento está en nuestro poder, esas dos jóvenes no tendrían ni una hora de vida. Debo intentar rescatar a Tuppence antes de que Jane escape.*
Deseo una copia del telegrama que le fue enviado a Tuppence al Ritz. Sir James Peel Edgerton dijo que usted podría proporcionármelo. Es muy inteligente. Una cosa más: por favor, haga que vigilen la casa del Soho de día y de noche.
Suyo afectísimo,

T. Beresford»

El primer ministro alzó los ojos.

—¿Y el sobre que según dice incluye?

Carter sonrió.

—En la caja del banco. No quiero correr riesgos.

—¿No cree usted que sería mejor abrirlo ahora? —dijo el primer ministro—. Habrá que asegurar el documento, es decir, suponiendo que la corazonada de ese joven fuera cierta. Podemos mantener en secreto que lo hemos abierto.

—¿Sí? No estoy tan seguro. Estamos rodeados de espías, una vez se supiera yo no daría ni esto... —chasqueó los dedos— por la vida de esas dos señoritas. No, el muchacho ha confiado en mí, y no voy a decepcionarlo.

—Bien, bien, entonces lo dejaremos donde está. ¿Qué tal es ese muchacho?

—Exteriormente es un joven inglés de facciones corrientes y cabeza cuadrada. Lento en sus procesos mentales. Por otro lado, es casi imposible que le pierda su imaginación... porque no la tiene... Por eso es difícil de engañar. Medita las cosas lentamente y una vez consigue algo no lo deja escapar. La joven es muy distinta. Tiene más intuición y menos sentido común. Hacen una buena pareja para trabajar juntos. Calma y vitalidad.

—Parece estar muy seguro —musitó el primer ministro.

—Sí, eso es lo que me da ciertas esperanzas. Es la clase de muchacho desconfiado y tiene que estar muy seguro de una cosa antes de aventurar una opinión.

—¿Y será este chico el que derrotará al mayor criminal de nuestros días?

—¡Este chico, como usted dice, es capaz! Pero algunas veces creo ver una sombra detrás suyo.

—¿Se refiere...?

—A Peel Edgerton.

—¿Peel Edgerton? —exclamó el primer ministro, asombrado.

—Sí. Veo su mano en *esto.* —Blandió la carta—. Está aquí... trabajando en la sombra, silenciosamente. Siempre he pensado que si alguien habría de descubrir a mister Brown, sería Peel Edgerton. Le digo que ahora trabaja en este caso, pero no quiere que se sepa. Por cierto, el otro día me hizo una petición bastante rara.

—¿Ah, sí?

—Me envió una carta, adjuntándome un recorte de un periódico de Nueva York en el que se mencionaba el hallazgo del cadáver de un hombre en un muelle del puerto neoyorquino, hará cosa de tres semanas. Me pedía que recogiera toda la información que me fuera posible del asunto.

—¿Y bien?

Carter se encogió de hombros.

—No conseguí gran cosa. Resultó ser un hombre de unos treinta y cinco años, pobremente vestido, con el rostro desfigurado. No pudieron identificarlo.

—¿Y usted imagina que ambos asuntos pueden tener alguna relación?

—En cierto modo, sí. Claro que puedo equivocarme. —Hubo una pausa y al cabo Carter continuó—: Le pedí que pasara por aquí. No es que pensara sonsacarle algo que él no quiera decir. Tiene un gran respeto por las obligaciones de su profesión, pero no existe la menor duda de que él puede aclaramos un par de puntos oscuros de la carta del joven Beresford. ¡Ah, aquí está!

Los dos hombres se pusieron en pie al entrar el recién llegado, y como un relámpago pasó por la mente del primer ministro este pensamiento: «¡Tal vez sea mi sucesor!»

—Hemos recibido una carta del joven Beresford —dijo Carter que fue directo al asunto—. Supongo que lo habrá usted visto.

—Pues supone usted mal —replicó inmediatamente el abogado.

—¡Oh! —Carter quedó algo desilusionado.

Sir James sonrió acariciándose la barbilla.

—Me telefoneó —dijo.

—¿Tendría inconveniente en decimos exactamente lo que pasó entre ustedes?

—Ninguno. Me dio las gracias por cierta carta que yo le había escrito... a decir verdad, ofreciéndole un empleo. Entonces me recordó algo que yo había dicho en Manchester con respecto a ese telegrama falso que hizo que se marchara miss Cowley. Le pregunté si había ocurrido algo nuevo y me dijo que... en un cajón del saloncito de mister Hersheimmer había descubierto una fotografía. —El abogado hizo una pausa antes de continuar—: Le pregunté si la fotografía llevaba el nombre y la dirección de un fotógrafo de California, y me replicó: «Ha acertado usted, señor. Así es». Luego continuó contándome algo que *yo ignoraba*... que el sujeto de aquella fotografía era la francesita Annette, la chica que le salvó la vida.

—¿Qué?

—Así es. Le pregunté, no sin cierta curiosidad, qué había hecho de la fotografía, y replicó que había vuelto a dejarla donde la encontró. —El abogado hizo otra pausa—. Eso estuvo bien, francamente bien. Ese joven sabe utilizar el cerebro. Lo felicité. El descubrimiento fue providencial. Desde luego, desde el momento en que probaba que la joven de Manchester era una impostora, todo cambiaba. El joven Beresford lo comprendió así, sin necesidad de que yo se lo dijera. Pero no podía confiar demasiado en sus razonamientos en el tema de miss Cowley. Me preguntó si yo creía en la posibilidad de que siguiera con vida. Yo le dije, después de valorar las pruebas, que era más que posible. Todo eso nos trajo de vuelta al telegrama.

—¿Sí?

—Le aconsejé que pidiera a usted una copia del original. Se me había ocurrido como cosa probable que después de que miss Cowley lo arrojara al suelo, ciertas palabras pudieron ser alteradas con la expresa intención de poner a sus amigos sobre una pista falsa.

Carter asintió. Sacó una hoja de papel de su bolsillo, y leyó en voz alta:

«*Ven en seguida a Astley Priors, Gatehouse. Kent. Grandes acontecimientos.*

Tommy»

—Muy sencillo y muy ingenioso —dijo sir James—. Sólo unas palabras alteradas y la cosa estaba hecha. Y la única pista importante se pasa por alto.

—¿Cuál era?

—La declaración del botones de que miss Cowley se había dirigido a Charing Cross. Estaban tan seguros de sí mismos que dieron por hecho que se había equivocado.

—Entonces el joven Beresford ahora está...

—En Gatehouse, Kent, a menos que me equivoque.

Carter lo contempló con curiosidad.

—Me pregunto cómo no está usted también allí, Peel Edgerton.

—¡Ah, estoy muy ocupado trabajando en un caso!

—Creí que estaba de vacaciones...

—¡Ah! No tengo citas concertadas. Tal vez fuese más exacto decir que estoy preparando un caso. ¿Sabe algo más de ese norteamericano sobre el que pedí informes?

—Me temo que no. ¿Es importante descubrir quién era?

—Ya sé de quién se trata —repuso sir James, sin darle mucha importancia—. No puedo hablar, pero lo sé.

No le hicieron ninguna pregunta, convencidos de que sería perder el tiempo.

—Pero lo que no comprendo —dijo de pronto el primer ministro—, es cómo fue a parar al cajón de mister Hersheimmer esa fotografía?

—Tal vez nunca salió de allí —insinuó el abogado.

—Pero, ¿y el falso inspector de policía? ¿El inspector Brown?

—¡Ah! —replicó sir James pensativo. Se puso en pie—. No debo entretenerlos más. Continúen con los asuntos de la nación. Yo debo volver a trabajar en mi... caso.

Dos días después Julius Hersheimmer regresaba de Manchester. Encontró una nota de Tommy encima de la mesa:

«*Apreciado Hersheimmer:*
Siento haber perdido los estribos. Por si no volviera
a verle, adiós. Me han ofrecido un empleo en la
Argentina, y puede que lo acepte.
Suyo afectísimo.

T. Beresford»

Una sonrisa muy peculiar apareció en el rostro de
Julius. Arrojó la carta a la papelera.

—¡El muy tonto! —murmuró.

Capítulo XXIII

UNA CARRERA CONTRA RELOJ

Después de telefonear a sir James, el siguiente paso de Tommy fue visitar South Audley Mansions. Encontró a Albert cumpliendo sus tareas profesionales, y se presentó sin rodeos como amigo de Tuppence. Albert se mostró muy amable.

—Esto ha estado muy tranquilo últimamente —dijo nostálgico—. Espero que la señorita estará bien.

—Pues ése es el caso, Albert. Ha desaparecido.

—¿Quiere decir que esos malvados se la llevaron?

—Eso han hecho.

—¿Al submundo?

—¡No, maldita sea, en este mundo!

—Es sólo una forma de hablar, señor —le explicó Albert—. En las películas, los malvados siempre tienen un restaurante en los bajos fondos. Pero, ¿usted cree que la habrán matado?

—Espero que no. A propósito, ¿no tendrás por casualidad una tía, prima, abuela o alguna otra pariente que pudiera simular que está a punto de morir?

Una sonrisa de placer se extendió lentamente por el rostro de Albert.

—Sí, señor. Mi pobre tía que vive en el campo hace tiempo que está enferma y no hace más que llamarme en su delirio.

Tommy hizo un gesto de aprobación.

—¿Puedes exponerlo en el lugar adecuado y reunirte

conmigo en la estación de Charing Cross dentro de una hora?

—Allí estaré, señor. Puede contar conmigo.

Como Tommy había supuesto, el fiel ascensorista resultó un aliado valioso. Los dos instalaron su cuartel en la posada de Gatehouse. A Albert le correspondió la tarea de recoger información, cosa que no le planteó ninguna dificultad.

Astley Priors era propiedad de un tal doctor Adams, que ya no ejercía. Se había retirado, según dijo el posadero, pero aún tenía algunos pacientes particulares. Y aquí el buen hombre se llevo un dedo a la sien y dijo: «¡Chiflados!» El doctor era una figura popular en el pueblo, participaba en todos los deportes locales, «un caballero muy agradable». «¿Lleva aquí mucho tiempo?» «¡Oh! Unos diez años... o tal vez más. Era un científico. Venían a verlo muy a menudo profesores y gente de la ciudad. En cualquier caso, esa casa era muy alegre, siempre llena de visitantes».

Tommy sintió dudas al conocer sus relaciones. ¿Sería posible que aquella figura tan conocida y popular fuese en realidad un criminal peligroso? Su vida parecía tan abierta, y decente. Ninguna sospecha de andanzas siniestras. ¿Y si todo aquello fuese una gigantesca equivocación? Tommy sintió frío sólo de pensarlo.

Entonces recordó los pacientes particulares: «los chiflados». Con mucho tacto preguntó si entre ellos había alguna joven y describió a Tuppence. Pero se sabía muy poco de los pacientes, pues apenas se les veía fuera de la casa. También describió a Annette, pero tampoco fue reconocida.

Astley Priors era un bonito edificio de ladrillos rojos, rodeado de una espesa arboleda que impedían su vista desde la carretera.

La primera tarde, Tommy, acompañado de Albert, exploró el terreno. Debido a la insistencia de Albert, lo hicieron arrastrándose sobre sus estómagos, haciendo

mucho más ruido que si lo hubieran hecho caminando.
De todas formas, aquellas precauciones eran totalmente innecesarias. Los jardines, como los de los de cualquier casa particular cuando anochecía, estaban de-
siertos. Tommy temía encontrar un perro feroz. Albert
soñaba con un puma o una cobra amaestrada, pero llegaron hasta los arbustoss que rodeaban la casa sin ser
descubiertos.

Las cortinas del comedor estaban descorridas y vieron a un buen número de personas reunidas alrededor
de la mesa. El oporto pasaba de mano en mano. Daba
la sensación de que celebraban una fiesta agradable,
habitual. Por la ventana se oían fragmentos de conversaciones que flotaban en el aire de la noche. ¡Se discutía acaloradamente sobre *cricket*!

De nuevo a Tommy le invadieron las dudas. Le resultaba difícil creer que aquellas personas fueran otra
cosa que lo que parecían. ¿Se habría engañado una vez
más? El caballero de la barba rubia y gafas que se sentaba a la cabecera de la mesa tenía un aspecto extremadamente honrado y natural.

Tommy durmió mal aquella noche. A la mañana siguiente, el infatigable Albert, que se había hecho
amigo del chico del colmado, ocupó su puesto ganán-
dose la confianza de la cocinera de Malthouse, y volvió
con el informe de que sin duda alguna «era de la
banda», pero Tommy desconfiaba de su fértil imaginación. Al interrogarlo, no pudo aportar nada que proba-
ra su declaración, sólo su propia opinión de que no
era una persona como es debido. Bastaba sólo con
verla.

La substitución se repitió (con pingües beneficios
económicos para el auténtico chico del colmado) al día
siguiente. Albert trajo la primera noticia que permitía
albergar alguna esperanza. En la casa había una joven
francesa. Tommy dejó a un lado sus vacilaciones. Aquélla era la confirmación de su teoría.

El tiempo apremiaba, estaban a veintisiete. El veintinueve era el fatídico «Día del trabajador», sobre el que circulaban tantos rumores. Los periódicos comenzaban a inquietarse y se hablaba en ellos libremente de un sensacional *coup d'Etat* laborista.

El Gobierno nada decía. Lo sabía y estaba preparado. Corrían rumores de desavenencia entre los dirigentes laboristas. No eran todos de la misma opinión. Los que veían más allá de sus narices comprendían que sus propósitos podrían resultar un golpe mortal para la Inglaterra que amaban de corazón. Temblaban ante la perspectiva del hambre y miseria que traería consigo una huelga general, y deseaban encontrarse con el gobierno a medio camino. Pero tras ellos trabajaban fuerzas sutiles e insistentes, recordando antiguos errores, despreciando la debilidad de los términos medios y fomentando malentendidos.

Tommy, gracias a Carter, comprendía la situación con bastante exactitud. Con el documento fatal en manos de mister Brown, la opinión pública se inclinaría del lado de los extremistas laboristas y los revolucionarios. Sin él, la batalla estaba equilibrada. El gobierno, con un ejército leal y la policía podría ganar, pero a costa de grandes sufrimientos.

Pero Tommy acariciaba un sueño descabellado. Una vez desenmascarado mister Brown y hecho prisionero, creía que toda la organización se vendría abajo en el acto de forma ignominiosa. La extraña y constante influencia de su jefe invisible los mantenía unidos. Sin él, Tommy estaba convencido de que serían presa del pánico y, una vez los hombres honrados fueran de nuevo dueños de sí mismos, sería posible la reconciliación.

«Esto es todo obra de un solo hombre», pensó Tommy. «Lo que hay que hacer es cogerlo.»

Para sostener, en parte, su ambicioso proyecto, había pedido a Carter que no abriera el sobre lacrado. El borrador del tratado era el cebo. De vez en cuando se asustaba de su presunción. ¿Cómo se atrevía a pensar que había descubierto lo que tantos otros hombres mucho más inteligentes no consiguieron? Sin embargo, seguía firme en su idea.

Aquella noche, Albert y él entraron una vez más en los terrenos de Astley Priors. La ambición de Tommy era conseguir como fuera entrar en la casa. Mientras se aproximaba cautelosamente, Tommy soltó una exclamación.

En el segundo piso se recortaba una silueta en una de las ventanas gracias a la luz procedente del interior. ¡Tommy la hubiera reconocido en cualquier parte! ¡Tuppence estaba en la casa!

Cogió a Albert por el hombro.

—¡Quédate aquí y, cuando yo empiece a cantar, mira la ventana!

Corrió a situarse en el camino que conducía a la casa y comenzó a cantar con voz ronca y paso vacilante el estribillo siguiente:

Soy un soldado,
un alegre soldado inglés.
Ustedes pueden ver que soy soldado
por mis pies...

Había sido el disco favorito durante los días que estuvo en el hospital con Tuppence. Estaba seguro que ella la reconocería y sacaría sus conclusiones. Tommy no tenía oído para la música, pero sí unos magníficos pulmones. Montó un escándalo terrible.

Por fin un mayordomo impecable, acompañado por otro criado igualmente impecable, apareció en la puerta principal para amonestarlo. Tommy continuó cantando, tratando afectuoso al mayordomo de «viejo bigotes». El criado lo tomó de un brazo, y el mayordomo por otro, y lo llevaron hasta la verja. El mayordomo le amenazó con llamar a la policía si volvía a entrar. Todo fue hecho con sobriedad y el mayor decoro. Cualquiera hubiera jurado que el mayordomo era auténtico, y el criado también... ¡Sólo que daba la casualidad de que el mayordomo era Whittington!

Tommy regresó a la posada y aguardó el regreso de Albert. Al fin éste apareció.

—¿Y bien? —exclamó Tommy ansioso.

—Salió perfectamente. Mientras lo echaban a usted, se abrió la ventana y alguien arrojó esto. —Le tendió un pedazo de papel. Estaba envuelto alrededor de un pisapapeles.

En el papel había escritas cinco palabras:

«Mañana a la misma hora»

—¡Fantástico! —exclamó Tommy—. Ya estamos en marcha.

—Yo escribí un mensaje en un pedazo de papel, envolví con él una piedra y lo arrojé por la ventana —continuó Albert sin respirar.

Tommy soltó un gemido.

—Tu celo excesivo nos perderá, Albert. ¿Qué escribiste?

—Puse que estábamos en la posada y que, si conseguía salir, que viniera y croara como una rana.

—Comprenderá que has sido tú —dijo Tommy con un suspiro de alivio—. Tu imaginación va demasiado lejos, Albert. Eres incapaz de reconocer el croar de una rana aunque la oyeras.

Albert pareció algo abatido.

—Anímate —dijo Tommy—. No ha ocurrido nada malo. Ese mayordomo es un viejo amigo mío; apuesto a que sabe quién soy, aunque lo disimulara. Su juego es demostrar que no sospechan. Por eso nos ha salido todo bien. No quieren desanimarme del todo. Por otro lado, tampoco quieren ponerme las cosas demasiado fáciles. Soy un simple peón en su juego, Albert, eso es lo que soy. Verás, si la araña dejara escapar a la mosca demasiado fácilmente, la mosca pensaría que se trataba de un truco. De ahí la utilidad de ese joven prometedor, mister Tommy Beresford, que aparece en el momento oportuno. ¡Pero será mejor que Tommy Beresford esté alerta!

Tommy se retiró a descansar aquella noche muy contento. Había preparado un plan para la noche siguiente. Estaba seguro de que los habitantes de Astley Priors no se meterían con él hasta cierto punto. Era después que Tommy se proponía darles una sorpresa.

No obstante, a las doce, su calma sufrió una brusca interrupción. Le avisaron de que alguien lo esperaba en el bar; resultó ser un carretero malcarado y cubierto de barro.

—Bien, amigo, ¿de qué se trata? —le preguntó Tommy.

—¿Esto es para usted, señor? —El carretero le tendió una nota plegada muy sucia, que decía en la parte exterior: «Lleve esta nota al caballero que está en la posada cerca de Astley Priors. Él le dará diez chelines».

La letra era de Tuppence. Tommy apreció la rapidez de su inteligencia, puesto que había previsto que pudiera estar en la posada bajo un nombre supuesto. Tendió una mano para cogerla.

—Muy bien.

El hombre no se la entregó.

—¿Qué hay de mis diez chelines?

Tommy se apresuró a sacar un billete de diez chelines, y el hombre le dio la nota. Tommy la abrió.

«*Querido Tommy:*
Supe que eras tú. No vengas esta noche.
Te están preparando una trampa. Hoy por la
mañana se nos llevarán de aquí. Creo haber
oído algo acerca de Gales... Holyhead, me
parece. Si tengo oportunidad, tiraré esto por
la carretera. Annette me contó cómo habías
escapado. Ánimo.

Tuya, Twopence»

Tommy llamó a Albert casi antes de terminar de leerla.

—¡Haz el equipaje! ¡Nos vamos!

—Sí, señor. —Se oyó el ruido de las botas de Albert que corría por la planta alta.

¿Holyhead? ¿Significaba que después de todo...? Tommy estaba intrigado. Releyó la nota con calma.

Las botas de Albert continuaban activas en la planta alta.

De pronto, un segundo grito sonó en la planta baja

—¡Albert! ¡Soy un maldito estúpido! ¡Deshaz el equipaje!

—Sí, señor.

Tommy alisó la nota pensativo.

—Sí, soy un maldito estúpido —dijo en voz baja—. ¡Pero no soy el único! ¡Y al fin sé quién es!

Capítulo XXIV

JULIUS ECHA UNA MANO

En sus habitaciones del Hotel Claridge, Kramenin, recostado en un diván, dictaba a su secretario en ruso sibilante.

De pronto sonó el teléfono y el secretario lo descolgó. Tras unas breves palabras, se volvió a su jefe.

—Abajo preguntan por usted.

—¿Quién es?

—Dice llamarse Julius P. Hersheimmer.

—Hersheimmer —repitió Kramenin, pensativo—. Creo haber oído ese nombre.

—Su padre era uno de los reyes del acero en Estados Unidos —explicó el secretario, cuya obligación era saberlo todo—. Ese joven tiene que ser varias veces millonario.

Los ojos del otro se abrieron apreciativamente.

—Será mejor que bajes a verlo, Ivan. Averigua lo que desea.

El secretario obedeció y al salir cerró la puerta sin hacer el menor ruido. A los pocos minutos estaba de regreso.

—Se niega a decirlo... Insiste en que es un asunto estrictamente personal y que debe hablarlo con usted.

—Un multimillonario —murmuró Kramenin—. Hazlo subir, mi querido Ivan.

El secretario abandonó la estancia una vez más, para volver escoltando a Julius.

—¿Monsieur Kramenin? —dijo al entrar.

El ruso se inclinó, estudiándolo con sus ojos claros y venenosos.

—Celebro conocerlo —dijo el norteamericano—. Tengo que hablarle de algunos asuntos muy importantes, si es posible verlo a solas. —Dirigió una mirada al otro.

—Éste es mi secretario, monsieur Grieber, para el que no tengo secretos.

—Usted puede que no, pero yo sí —replicó Julius tajante—. De modo que le agradecería de veras que le dijera que se largue.

—Ivan —dijo el ruso en tono suave—, tal vez no te importe retirarte a la habitación contigua.

—La habitación de al lado no sirve —le interrumpió Julius—. Conozco estas *suites* ducales... y deseo que ésta quede vacía... con la excepción de usted y yo. Envíelo al colmado a comprar un cucurucho de cacahuetes.

A pesar de que no le divertía precisamente el lenguaje desenfadado del norteamericano, a Kramenin le devoraba la curiosidad.

—¿Va a tomarnos mucho tiempo su asunto?

—Tal vez toda la noche, si usted me escucha con atención.

—Muy bien, Ivan. No te necesitaré ya esta noche. Vete al teatro. Tienes la noche libre.

—Gracias, Excelencia.

El secretario se inclinó y se fue.

Julius permaneció en la puerta viéndolo marchar. Al fin, con un suspiro de alivio, la cerró y volvió a situarse en el centro de la estancia.

—Ahora, mister Hersheimmer, tal vez sea usted tan amable de ir directamente a la cuestión.

—No tardaré ni un minuto —replicó Julius, y luego, con un repentino cambio de tono, agregó—: ¡Manos arriba... o disparo!

Por un momento, Kramenin miró sin ver la enorme

automática; luego, con prisa casi cómica, alzó sus manos por encima de su cabeza. En ese instante Julius tomó sus medidas. El hombre que tenía ante él era un vil cobarde... El resto sería fácil.

—Esto es un atropello —exclamó el ruso con voz histérica—. ¡Un atropello! ¿Es que quiere matarme?

—No, si procura bajar la voz. No se acerque al timbre. Así está mejor.

—¿Qué es lo que quiere? No cometa imprudencias. Recuerde que mi vida tiene un valor incalculable para mi pueblo. Tal vez me hayan calumniado.

—Yo creo —dijo Hersheimmer— que el hombre que lo agujeree hará un gran bien a la humanidad. Pero no tiene por qué preocuparse. No tengo intención de matarlo ahora... es decir, si se muestra razonable.

El ruso se acobardó ante la dura amenaza en los ojos de Julius. Se pasó la lengua por los labios resecos.

—¿Qué quiere usted? ¿Dinero?

—No. Quiero a Jane Finn.

—¿Jane Finn? ¡Nunca he oído ese nombre!

—¡Es usted un condenado mentiroso! Sabe perfectamente a quién me refiero.

—Le digo que nunca he oído hablar de ella.

—Y yo le digo que la pequeña Willie está deseando entrar en movimiento.

El ruso se amansó visiblemente.

—No se atreverá a...

—¡Oh, ya lo creo que sí!

Kramenin debió comprender que hablaba en serio, porque dijo de mala gana:

—De acuerdo. Suponiendo que supiera de quién se trata... ¿qué?

—Va a decirme ahora mismo dónde puedo encontrarla.

Kramenin movió la cabeza.

—No me atrevo.

—¿Por qué no?

—No me atrevo. Pide usted un imposible.

—Tiene miedo, ¿eh? ¿De quién? ¿De mister Brown? ¡Ah, eso le asusta! ¿Es que existe, entonces? Lo dudaba. ¡Y su sola mención le produce tal efecto que se pone lívido de pavor!

—Lo he visto —dijo el ruso despacio—. He hablado con él cara a cara. No lo supe hasta después. Era un tipo corriente. No lo reconocería. ¿Quién es en realidad? Lo ignoro. Pero sé que es un hombre de temer.

—Él no lo sabrá.

—Lo sabe todo... y su venganza no se hará esperar. ¡Incluso yo... Kramenin, no podría librarme de ella!

—Entonces, ¿no hará lo que le pido?

—Imposible.

—Pues lo siento por usted —dijo Hersheimmer en tono festivo—. Sin embargo, el mundo se beneficiará.

Alzó el arma.

—Espere —gritó el ruso—. ¿No irá a matarme?

—¡Pues claro que sí! Siempre he oído decir que ustedes, los revolucionarios, no le conceden importancia a la vida, pero parece que es distinto cuando no se trata de una parodia. Le doy la oportunidad de salvar su sucio pellejo y no la aprovecha.

—¡Me matarán!

—Bueno —repuso Julius complacido—, como guste. Pero sólo diré una cosa. ¡La pequeña Willie es la muerte cierta, y yo en su lugar me arriesgaría a probar suerte con mister Brown!

—Lo ahorcarán si me mata —musitó el ruso, vacilante.

—No, forastero. Ahí es donde se equivoca. Olvida los dólares. Se pondrán a trabajar una multitud de abogados, me someterán al examen de varios médicos y al fin dirán que mi cerebro está desequilibrado. Pasaré unos cuantos meses en un sanatorio tranquilo, donde mejoraré mi salud mental. Y los médicos volverán a declararme curado, y todo terminará bien para el pequeño Julius. Supongo que podré soportar unos meses de aislamiento con tal de librar al mundo de su presencia. No se engañe pensando que me ahorcarán por ello.

El ruso lo creyó. Como él era corrupto, creía ciegamente en el poder del dinero. Había leído que los juicios por asesinato se llevaban a cabo en Estados Unidos según las normas indicadas por Julius. Él mismo había comprado y vendido justicia. Aquel norteamericano tan joven y varonil, de voz expresiva, tenía la sartén por el mango.

—Voy a contar hasta cinco —continuó Julius—, y si me deja pasar de cuatro ya no necesitará preocuparse por mister Brown. ¡Puede que le envíe flores para su entierro, pero usted no las olerá! ¿Está dispuesto? Empezaré. Uno... dos... tres... cuatro...

El ruso lo interrumpió con un grito.

—No dispare. Haré lo que desea.

Julius bajó el revólver.

—Sabía que se avendría a razones. ¿Dónde está esa joven?

—En Gatehouse, Kent. El lugar se llama Astley Priors.

—¿Está prisionera?

—No se le permite abandonar la casa, aunque es bastante segura. La pobrecilla ha perdido la memoria, ¡maldita sea!

—Reconozco que debe de haber sido una contrariedad para ustedes. ¿Qué ha sido de la otra joven...? La que secuestraron hará cosa de una semana.

—Está allí también —replicó el ruso.

—Muy bien —dijo Julius—. ¿No le parece que todo va saliendo estupendamente? ¡Y hace una noche espléndida para viajar!

—¿Viajar? —repitió Kramenin sorprendido.

—Nos vamos a Gatehouse, desde luego. Espero que le guste viajar en coche

—¿Qué quiere decir? Me niego a acompañarlo.

—Ahora no pierda los estribos. Debe comprender que no soy tan tonto como para dejarlo aquí. ¡Lo primero que haría sería telefonear a sus amigos! ¡Ah! —Vio la expresión de desencanto del ruso—. Comprenda, hay que dejarlo todo bien atado. No señor, usted viene conmigo. ¿Su dormitorio está en la habitación de al lado? Entre allí. La pequeña Willie y yo lo seguiremos. Póngase un abrigo grueso, eso es. ¿Forrado de piel? ¡Y usted se llama socialista! Ahora ya estamos dispuestos. Bajaremos, y usted atravesará el vestíbulo para llegar hasta mi automóvil. ¡Y no olvide que no cesaré de vigilarlo y que puedo disparar a través del bolsillo de mi abrigo! Una palabra, o tan sólo una mirada a cualquiera de los empleados, y es hombre muerto.

Juntos bajaron la escalera y llegaron al vestíbulo. El ruso temblaba de rabia. Estaban rodeados de empleados y estuvo a punto de gritar, pero en el último momento le faltó valor. El norteamericano era un hombre de palabra.

Cuando estuvieron junto al automóvil, Julius exhaló un suspiro de alivio. Habían conseguido atravesar la zona de peligro y el miedo había hipnotizado al hombre que lo acompañaba.

—Suba —le ordenó y, al sorprender una mirada de soslayo del ruso, agregó—: No, el chófer no lo ayudará. Es marino. Estaba a bordo de un submarino en Rusia cuando estalló la revolución. Un hermano suyo fue asesinado por los suyos. ¡George!

—¿Diga, señor? —El chófer volvió la cabeza.

—Este caballero es un ruso bolchevique. No deseamos matarlo a menos que sea estrictamente necesario. ¿Entendido?

—Perfectamente, señor.

—Deseo ir a Gatehouse, Kent. ¿Conoce la carretera?

—Sí, señor. Está a cosa de una hora y media.

—Hágalo en una hora. Tengo prisa.

—Haré lo que pueda, señor. —El coche arrancó y se sumó al tráfico.

Julius se recostó cómodamente junto a su rehén. Conservaba la mano en el bolsillo, pero sus modales eran corteses hasta el máximo.

—Había un hombre contra quien disparé una vez en Arizona... —comenzó a decir en tono alegre.

Al final de la hora de viaje, el desgraciado Kramenin estaba más muerto que vivo. Después de la anécdota del hombre de Arizona, había tenido que soportar otra de un tipo duro en San Francisco y un episodio de las Rocosas. ¡El estilo narrativo de Julius, si no preciso, era pintoresco!

George les anunció que estaban llegando a Gatehouse mientras aminoraba la marcha. Julius obligó al ruso a que les indicara el camino. Su plan era ir directamente a la casa donde Kramenin preguntaría por las dos jóvenes. Julius le explicó que la pequeña Willie no toleraría el menor fallo. Por aquel entonces el pobre ruso era un juguete en sus manos. La terrible velocidad que llevaron todo el camino contribuyó a destrozar sus nervios. Se había dado por muerto en cada curva. El coche enfiló el camino particular y se detuvo ante el porche. El chófer aguardó nuevas órdenes.

—Dé la vuelta al coche primero, George. Luego, haga sonar el timbre de la casa y vuelva a su asiento. Conserve el motor en marcha y esté dispuesto a salir pitando cuando le avise.

—Muy bien, señor.

La puerta principal fue abierta por el mayordomo. Kramenin sintió el cañón del revólver junto a sus riñones.

—Vamos —susurró Julius—. Y ande con cuidado.

El ruso gritó con los labios muy pálidos y voz insegura:

—¡Soy yo... Kramenin! ¡Baje a esa joven en seguida! ¡No hay tiempo que perder!

Whittington había bajado los escalones y soltó una exclamación de asombro al ver al ruso.

—¡Usted! ¿Qué ocurre? Sin duda conocerá el plan...

Kramenin le interrumpió empleando las palabras que han creado tantos temores innecesarios:

—¡Hemos sido traicionados! ¡Hay que abandonar nuestros planes y salvar el pellejo! ¡La chica! ¡En seguida! Es nuestra única oportunidad.

Whittington vacilaba, pero fue sólo un instante.

—¿Tiene órdenes... *de él*?

—Naturalmente! ¿Estaría aquí si no? ¡Deprisa! No hay tiempo que perder. La otra chica tiene que venir también.

Whittington dio media vuelta y corrió al interior de la casa. Los minutos transcurrieron angustiosamente. Al fin, dos figuras envueltas en capas aparecieron en los escalones y fueron introducidas en el automóvil a toda prisa. La más pequeña de las dos quiso resistirse y Whittington la obligó sin ceremonia.

Julius se inclinó hacia delante y, al hacerlo, la luz le dio de lleno en el rostro. El hombre que estaba detrás de Whittington lanzó una exclamación de sorpresa. El engaño había llegado a su fin.

—Vamos, George —gritó Julius.

El chófer apretó a fondo el acelerador y el coche arrancó con una brusca sacudida.

El hombre que había en el porche lanzó un juramento. Metió la mano en el bolsillo. Brilló un fogonazo y se oyó una detonación; la bala pasó a un centímetro de la más alta de las dos muchachas.

—Agáchate, Jane —gritó Julius—. Échate al suelo. —Empujó a la muchacha hacia adelante. Después se puso de pie, hizo puntería y disparó.

Luego apuntó con cuidado y disparó a su vez.

—¿Le ha dado? —exclamó Tuppence, ansiosa.

—Seguro —replicó Julius—. Aunque no lo he matado. Esos golfos tienen siete vidas. ¿Se encuentra bien, Tuppence?

—¡Claro que sí! ¿Dónde está Tommy? ¿Y quién es éste? —Señaló al tembloroso Kramenin.

—Tommy viaja rumbo a la Argentina. Supongo que creyó que usted había muerto. ¡Cuidado con el portón, George! Muy bien. Tardarán más de cinco minutos en poder seguirnos. Es de suponer que utilizarán el teléfono, de modo que hay que estar ojo avizor para no caer en una trampa... Será mejor que no vayamos por la carretera general. ¿Pregunta usted que quién es éste? Permítame que le presente a monsieur Kramenin, al cual he convencido para que hiciera este viaje en bien de su salud.

El ruso continuó callado, seguía lívido de terror.

—Pero, ¿cómo nos han dejado salir? —preguntó Tuppence, recelosa.

—¡He de confesar que monsieur Kramenin lo ha pedido tan gentilmente que no han podido negarse!

Aquello fue demasiado para el ruso.

—¡Maldito sea... maldito sea! —exclamó con vehemencia—. Ahora saben que los he traicionado. En este país ya no me queda ni una hora de vida.

—Es cierto —asintió Julius—. Le aconsejo que vuelva a Rusia en seguida.

—Suélteme entonces —exclamó el otro—. Ya hice lo que usted quería. ¿Por qué quiere que siga a su lado?

—No es precisamente por el placer de su compañía. Me imagino que puede marcharse ya, si lo desea, pero pensé que preferiría que lo lleváramos de nuevo a Londres.

—No llegarán nunca a Londres —rugió Kramenin—. Déjeme bajar aquí.

—Desde luego. Para, George. El caballero no nos acompaña de regreso. Si alguna vez voy a Rusia, monsieur Kramenin, espero un caluroso recibimiento, y...

Pero antes de que Julius hubiera terminado su discurso y de que el coche se hubiera detenido del todo, el ruso saltó del automóvil y desapareció rápidamente en la noche.

—Estaba algo impaciente por dejarnos —comentó

Julius cuando el coche volvió a adquirir velocidad—. Y ni siquiera se ha despedido de las señoritas. Oye, Jane, ahora ya puedes sentarte.

Por primera vez habló la joven.

—¿Como lo *persuadiste*? —preguntó.

Julius acarició su revólver.

—¡El mérito es de la pequeña Willie!

—¡Estupendo! —exclamó la joven, y el color volvió a sus mejillas al mirar a Julius con admiración.

—Annette y yo no sabíamos lo que iba a ocurrirnos —dijo Tuppence—. El viejo Whittington nos hizo salir a toda prisa. Pensábamos que nos llevaba al matadero como corderitos.

—Annette —dije Hersheimmer—, ¿es así como usted la llama?

Su mente parecía estar intentando acostumbrarse a la novedad.

—Ése es su nombre —replicó Tuppence, abriendo mucho los ojos.

—¡Pamplinas! —repuso Julius—. Puede creer que se llama así porque la pobre ha perdido la memoria. Pero ante usted tiene en estos momentos a la verdadera Jane Finn.

—¿Que...? —exclamó Tuppence.

Pero la interrumpieron. Con un golpe seco, una bala se incrustó en la tapicería del coche, justo detrás de su cabeza.

—Agáchense —gritó Julius—. Es una emboscada. Esos individuos han ido muy deprisa. Corre un poco más, George.

El automóvil aceleró aún más. Sonaron otros tres disparos; pero ninguno les alcanzó. Julius miró hacia atrás.

—No hay a quién disparar —anunció, contrariado—. Pero me imagino que no tardarán en darnos otra fiestecita. ¡Ah!

Se llevó la mano a la mejilla.

—¿Le han herido? —dijo Annette, preocupada.

—Sólo es un rasguño.

La joven se levantó del suelo.

—¡Déjeme bajar! ¡Le digo que me deje bajar! Paren el coche. Es a mí a quien persiguen. No quiero que pierdan la vida por mi culpa. Déjenme bajar. —Comenzó a forcejear con la manija de la portezuela.

Julius la sujetó por ambos brazos, y la miró. La muchacha había hablado sin el menor acento extranjero.

—Siéntate, pequeña —le dijo en tono amable—. Me parece que a tu memoria no le ocurre nada malo. Les has estado engañando todo el tiempo, ¿verdad?

La muchacha asintió y de pronto se deshizo en lágrimas. Julius le dio unas palmaditas en el hombro.

—Vamos, vamos... tranquilízate. No permitiremos que te cojan.

Entre sollozos, la muchacha consiguió decir:

—Eres de mi país. Lo adivino por tu voz. Me hace sentir nostalgia de mi casa.

—¡Claro que soy de tu país! Soy tu primo... Julius Hersheimmer. Vine a Europa para buscarte... ¡y en bonito baile me has metido!

El coche aminoró la marcha y George dijo por encima de su hombro:

—Aquí hay un cruce, señor. No estoy seguro de qué dirección seguir.

El coche avanzaba a paso de tortuga cuando una figura, que por lo visto iba montada en la parte trasera, se lanzó de cabeza en medio de todos ellos.

—Lo siento —dijo Tommy, disculpándose.

Le saludaron con una salva de exclamaciones, a las que contestó explicándoles:

—Estaba entre los arbustos junto al camino de entrada y me monté en la parte de atrás. No pude avisaros debido a la velocidad que llevabais. Bastante trabajo tenía en procurar no caerme. Ahora, chicas, ¡ya podéis apearos!

—¿Apearnos?

—Sí. Hay una estación junto a esa carretera. El tren

pasará dentro de tres minutos. Si os dais prisa podréis alcanzarlo.

—¿Qué diablos persigue con todo esto? —quiso saber Julius—. ¿Cree poder engañarlos abandonando el automóvil?

—Usted y yo no lo abandonaremos. Sólo las señoritas.

—Está usted loco, Beresford. ¡Loco de remate! No puedo dejarlas solas. Si lo hiciera sería el fin.

Tommy se volvió a Tuppence.

—Baja en seguida, Tuppence, y llévatela como te digo. Ninguna de las dos sufrirá daño alguno. Estáis a salvo. Coged el tren que va a Londres e id directamente a ver a sir James Peel Edgerton. Mister Carter vive fuera de la ciudad, pero estaréis a salvo con él.

—¡Maldito sea! —exclamó Julius—. Está loco, Jane, quédate donde estás.

Con un movimiento rápido, Tommy arrebató la pistola de la mano de Julius.

—¿Ahora creéis que hablo en serio? Salid las dos y haced lo que os he dicho, o... disparo.

Tuppence saltó del coche arrastrando tras sí a Jane que se resistía.

—Vamos, si no pasa nada. Si Tommy dice que no hay peligro... será verdad. Date prisa. Vamos a perder el tren.

Echaron a correr.

—¿Qué diablos...? —gritó Julius, furioso.

Tommy lo interrumpió:

—¡Cállese! Deseo hablar unas palabras con usted, Julius Hersheimmer.

Capítulo XXV

LA HISTORIA DE JANE FINN

Sin soltar el brazo de Jane, Tuppence llegó a la estación. Su fino oído captó el rumor del tren que se aproximaba.

—Deprisa —jadeó—, o lo perderemos.

Salieron al andén en el preciso momento en que se detenía. Tuppence abrió la puerta de un compartimiento de primera clase que estaba vacío, y las dos muchachas se dejaron caer sobre los mullidos asientos, extenuadas y sin aliento.

Un hombre asomó la cabeza, y luego pasó al coche siguiente. Jane se sobresaltó. Sus ojos se dilataron por el terror. Interrogó a Tuppence con la mirada.

—¿Crees que será uno de ellos?

Tuppence negó con la cabeza.

—No, no. No te preocupes. —Cogió la mano de Jane—. Tommy no nos hubiera obligado a hacer esto si no estuviera seguro de que saldría bien.

—¡Pero él no los conoce tan bien como yo! —La joven se estremeció—. Tú no puedes comprenderlo. ¡Cinco años! ¡Cinco largos años! Algunas veces creí que iba a volverme loca.

—No pienses en eso. Ahora todo ha pasado.

—¿Tú crees?

El tren comenzaba a moverse; poco a poco adquirió velocidad. De pronto Jane se sobresaltó.

—¿Qué ha sido eso? Me ha parecido ver una cara que miraba por aquella ventana.

—No, no hay nadie. Mira. —Tuppence fue hasta la ventanilla y bajó el cristal.

—¿Estás segura?

—Segurísima.

Jane se vio obligada a dar una explicación.

—Creo que me estoy comportando como una tonta, pero no puedo evitarlo. Si me cogieran ahora... —Sus ojos se abrieron desmesuradamente.

—¡No! —suplicó Tuppence—. Acuéstate y no pienses. Puedes tener la seguridad de que Tommy no nos hubiera dicho que estaríamos a salvo si no fuera verdad.

—Mi primo no opinaba lo mismo. Él no quería que viniéramos.

—Es verdad —repuso Tuppence un poco turbada.

—¿En qué estás pensando? —preguntó Jane.

—¿Por qué?

—¡Tu voz ha sonado tan... extraña!

—Sí, pensaba en algo —confesó Tuppence—. Pero no quiero decírtelo ahora. Puede que esté equivocada, aunque no lo creo. Es una idea que se me metió en la cabeza hace mucho tiempo. A Tommy le ha ocurrido lo mismo... Estoy casi segura. Pero no te preocupes... ya habrá tiempo para eso después. ¡O puede que no lo haya en absoluto! Haz lo que te digo... acuéstate y no pienses en nada.

—Lo intentaré. —Las largas pestañas cayeron sobre sus ojos castaños.

Tuppence, por su parte, continuó sentada, en actitud parecida a la de un terrier en guardia. A pesar suyo estaba nerviosa y su mirada iba continuamente de una ventanilla a otra. Se fijó en la ubicación exacta del cordón de alarma. Le hubiera sido difícil decir lo que temía. Sin embargo, en su interior estaba muy lejos de sentir la confianza que puso en sus palabras. No es que desconfiara de Tommy, pero de vez en cuando le asaltaba la duda de que alguien tan sencillo y bueno como él pudiera enfrentarse a la astucia y la crueldad del archicriminal.

Una vez llegaran junto a sir James Peel Edgerton todo iría bien. ¿Pero conseguirían llegar? ¿No se estarían organizando las silenciosas fuerzas de mister Brown contra ellas? Incluso aquella última imagen de Tommy pistola en mano dejaba de animarla. Tal vez ahora estuviese ya en manos de sus enemigos... Tuppence trazó un plan de campaña.

Cuando el tren se detuvo al fin en Charing Cross, Jane se incorporó, sobresaltada.

—¿Hemos llegado? ¡No creí que lo consiguiéramos!

—Oh, hasta aquí era de esperar que no ocurriera nada. Si han de haber problemas, empezarán ahora. Bajemos deprisa, tomaremos un taxi.

Al minuto siguiente, después de pagar los billetes, cruzaban la salida y subían a un taxi.

—King's Cross —ordenó Tuppence y acto seguido pegó un respingo. Un hombre miró por la ventanilla en el momento en que el coche se ponía en marcha. Estaba casi segura de que era el mismo que ocupó el compartimiento contiguo al suyo. Tuvo la horrible sensación de que las iban rodeando lentamente por todos lados.

—¿Comprendes? —le explicó a Jane—. Si creen que vamos a ver a sir James, esto les despistará. Ahora creerán que vamos a casa de mister Carter, que vive en las afueras, al norte de Londres.

En Holborn había un atasco, y el taxi tuvo que detenerse. Aquello era lo que Tuppence había estado esperando.

—Deprisa —susurró—. ¡Abre la portezuela de la derecha!

Las dos jóvenes se apearon y se confundieron entre el tránsito y poco después se hallaban en otro taxi en dirección contraria, esta vez para ir directamente a Carlton House Terrace.

—Vaya —dijo Tuppence con gran satisfacción—, esto los despistará. ¡He de reconocer que soy bastante inteligente! ¡Cómo se enfadará el otro taxista! Pero he tomado su número y mañana le enviaré un giro postal para que no pierda nada, si es que era realmente un taxista. ¿Qué es eso...? ¡Oh!

Hubo un gran ruido y una terrible sacudida. Habían chocado con otro taxi.

Como un relámpago, Tuppence saltó a la acera. Se aproximaba un policía, pero antes de que llegara, Tuppence había entregado cinco chelines al taxista y se perdía entre la multitud en compañía de Jane.

—Estamos sólo a unos cuantos pasos —dijo Tuppence sin aliento. El accidente se había producido en Trafalgar Square.

—¿Tú crees que hemos chocado por casualidad o fue deliberado?

—No lo sé. Pudo ser cualquiera de las dos cosas.

Las dos muchachas corrieron velozmente cogidas de la mano.

—Puede que sean imaginaciones mías —dijo Tuppence de pronto—, pero tengo la desagradable sensación de que alguien nos sigue.

—¡Corre! —murmuró Jane—. ¡Oh, corre!

Estaba llegando a la esquina de Carlton House Terrace y sus temores se disiparon. De pronto un hombre alto y al parecer beodo les bloqueó el paso.

—Buenas noches, señoritas —dijo entre hipos—. ¿Adónde van tan deprisa?

—Déjenos pasar, por favor —dijo Tuppence en tono imperioso.

—Sólo quiero intercambiar unas palabras con su hermosa amiguita. —Alargó el y con mano insegura asió a Jane de un hombro.

Tuppence escuchó unos pasos a sus espaldas y no se entretuvo a averiguar si se trataba de sus amigos o de los de él. Bajando la cabeza puso en práctica un truco de sus días escolares y embistió al agresor en la barriga. El éxito de esta táctica tan poco deportiva fue inmediato. El hombre cayó sentado bruscamente sobre la acera. Tuppence y Jane echaron a correr. La casa que buscaban estaba un poco más abajo. Otros pasos resonaban tras ellas. Apenas podían respirar cuando llegaron a la puerta de sir James. Tuppence pulsó el timbre y Jane golpeó el picaporte.

El hombre que las había detenido llegó al pie de la escalinata. Dudó unos instantes, y, en ese momento, se abrió la puerta. Las dos se precipitaron al mismo tiempo dentro del recibidor. Sir James salió de la biblioteca.

—¡Hola! ¿Qué es esto?

Se adelantó para sostener a Jane que parecía a punto de desmayarse. La llevaron a la biblioteca y la tendieron sobre el sofá de cuero. Sirvió un poco de coñac en un vaso y la obligó a beber. Jane se sentó, todavía con los ojos muy abiertos por el miedo.

—Todo esta bien. No tiene por qué temer, pequeña. Ahora está a salvo.

Su respiración se hizo más acompasada y el color volvió a sus mejillas. Sir James miró a Tuppence extrañado.

—De modo que no ha muerto, miss Tuppence... ¡Está tan viva como su amigo Tommy!

—Los jóvenes aventureros no se dejan matar así como así —replicó Tuppence.

—Eso parece —fue la seca contestación de sir James—. Estoy en lo cierto al pensar que su aventura ha terminado felizmente y que ésta señorita es... —Se volvió a la muchacha sentada en el sofá—... ¿miss Jane Finn?

Jane se irguió.

—Sí —dijo en voz baja—. Yo soy Jane Finn. Y tengo muchas cosas que contarle.

—Cuando se reponga....

—¡No, ahora! —La voz de Jane se elevó un poco—. Me sentiré más segura cuando lo haya dicho todo.

—Como guste —dijo el abogado.

Se sentó en una de las enormes butacas frente al sofá. Jane comenzó a contar su historia en voz baja.

—Me embarqué en el *Lusitania*, pues iba a hacerme cargo de un nuevo empleo en París. Me preocupaba muchísimo la guerra y me moría de ganas de ayudar de alguna manera. Había estado estudiando francés y mi profesora me dijo que necesitaban ayuda en un hospital de París, de modo que escribí ofreciendo mis servicios y me aceptaron. No tenía ningún pariente, así que me fue fácil arreglarlo todo.

»Cuando el *Lusitania* fue torpedeado, un hombre se acercó a mí. Había reparado en él en más de una ocasión... y siempre pensé que tenía miedo de algo... o de alguien. Me preguntó si era norteamericana y patriota, y me dijo que era portador de unos papeles que eran cuestión de vida o muerte para los aliados. Me pidió que me hiciera cargo de ellos. Yo debía esperar que apareciera un anuncio en The Times. Si no aparecía, debía entregarlos al embajador norteamericano.

»Lo que pasó después todavía me parece una pesadilla. Algunas veces lo revivo en mis sueños... Lo contaré muy por encima. Danvers me dijo que estuviera alerta... que posiblemente lo habían seguido desde Nueva York, aunque no lo creía así. Al principio no tenía sospechas, pero una vez en el bote salvavidas camino de Holyhead empecé a sentirme intranquila. Había una mujer que se ocupaba mucho de mí y siempre hablaba conmigo... Una tal Mrs. Vandemeyer. Al principio le estaba agradecida por sus atenciones; no obstante, había algo en ella que me desagradaba, y en el bote irlandés que nos recogió la vi hablando con algunos hombres de aspecto sospechoso y, por el modo de mirarme, comprendí que hablaban de mí. Recordé que estaba cerca cuando Danvers me entregó el paquete en el Lusitania y que antes de esto había tratado de hablar con él un par de veces. Empecé a sentirme asustada, pero no sabía qué hacer.

»Me asaltó la idea de detenerme en Holyhead y no continuar hasta Londres aquel día, pero no tardé en comprender que era una gran estupidez. Lo único que cabía hacer era comportarme como si no lo hubiera notado, y esperar lo mejor. No podrían hacerme nada si estaba alerta. Ya había tomado una precaución; abrir el paquete y sustituir el documento por un papel en blanco. De modo que si alguien me lo robaba no importase.

»Lo que me preocupó en extremo era dónde esconder el auténtico. Al fin lo desdoblé... constaba sólo de dos folios... y los introduje entre las páginas de una revista. Pegué los bordes con la goma de un sobre y la llevé siempre en el bolsillo de mi chaqueta.

»En Holyhead traté de ocupar un compartimiento entre personas de aspecto normal. Pero siempre me encontraba con gente que me empujaba en dirección contraria a la que yo quería ir. Era algo aterrador. Al fin me vi en el vagón en que iba Mrs. Vandemeyer. Salí al pasillo pero los demás compartimientos estaban llenos y tuve que volver a mi sitio. Me consolé pensando que había otras personas... un hombre de aspecto agradable con su esposa, iban sentados delante de nosotros. Recliné la cabeza y cerré los ojos. Imagino que me creyeron dormida, pero mis ojos no estaban cerrados del todo, y de pronto vi que el hombre de aspecto agradable sacaba algo de su maleta y lo entregaba a Mrs. Vandemeyer al tiempo que le guiñaba un ojo...

»No puedo explicarles lo que pasó por mi mente. Mi único pensamiento era salir al pasillo tan pronto me fuera posible. Me levanté tratando de parecer natural y tranquila. Tal vez notaron algo... no lo sé... pero de pronto Mrs. Vandemeyer dijo: «Ahora», y lanzó algo sobre mi nariz y boca cuando quise gritar. En aquel mismo instante sentí un golpe terrible en la parte de atrás de la cabeza.

Se estremeció. Sir James le dirigió unas palabras de consuelo. Luego Jane continuó:

—Ignoro cuánto tiempo tardé en recobrar el conocimiento. Me sentía muy mareada y enferma. Estaba tendida en una cama sucia detrás un biombo y oí dos personas que hablaban. Mrs. Vandemeyer era una de ellas. Intenté escuchar lo que decían, pero al principio me costó trabajo. Luego empecé a comprender de qué se trataba... y quedé horrorizada. Aún no sé cómo pude contenerme y no gritar.

»Habían encontrado los papeles. El envoltorio impermeable con las dos hojas en blanco. ¡Estaban furiosos! No sabían si *yo* había cambiado los papeles o si Danvers era portador de un mensaje para despistar, mientras el verdadero era enviado por otro conducto. Hablaron de... —Cerró los ojos—... ¡torturarme hasta que lo averiguaran!

»Hasta entonces no había conocido aquel miedo... aterrador. Una vez se acercaron a mirarme. Yo cerré los ojos simulando seguir sin conocimiento, pero temía que oyeran los latidos de mi corazón. Sin embargo, volvieron a marcharse. Empecé a pensar y pensar... ¿Qué podía hacer? Sabía que era incapaz de soportar cualquier tipo de tormento.

»De pronto, algo me hizo pensar en la pérdida de memoria. Era un tema que siempre me había interesado. Había leído muchísimo sobre él y lo dominaba. Si conseguía ponerlo en práctica con éxito tal vez me salvaría. Recé y luego, abriendo los ojos, comencé a balbucear en *francés*.

»Mrs. Vandemeyer dio vuelta al biombo en el acto. Su rostro tenía una expresión tan perversa que casi me muero, pero le sonreí, preguntándole en francés dónde me encontraba.

»Comprendí que estaba desconcertada. Llamó al hombre con el que había estado hablando. Éste permaneció junto al biombo con el rostro en la penumbra y empezó a hablarme en francés. Su voz era vulgar y tranquila, sin embargo, sin saber por qué, me asustó aún más que ella, pero continué con mi farsa. Volví a preguntar dónde me encontraba y luego dije que *debía* recordar algo... algo... pero que *de momento* no me acordaba de nada. Procuré mostrarme cada vez más preocupada. Me preguntó como me llamaba. Yo dije que no lo sabía... que no conseguía recordar nada.

»De pronto me cogió una mano y empezó a retorcerme el brazo. Me hacía mucho daño y grité. Continuó retorciéndomelo y yo grité y grité, pero procurando lanzar exclamaciones en francés. Ignoro cuánto tiempo hubiera continuado así, pero por suerte me desmayé. Lo último que oí fue una voz que decía: «¡No finge! Una chica de su edad no sabe tanto». Me figuro que olvidó que las muchachas norteamericanas son más adultas que las inglesas, aunque tengan la misma edad, y se interesan más por los temas científicos.

»Cuando recobré el conocimiento, Mrs. Vandemeyer se mostró dulce como la miel. Me figuré que había recibido órdenes. Me habló en francés diciéndome que había sufrido un *shock* nervioso y estado muy enferma, pero que no tardaría en ponerme bien. Fingí estar bastante aturdida y murmuré alo referente a que el «doctor» me había hecho daño en la muñeca. Ella pareció aliviada al oírlo.

»Luego se marchó de la habitación. Yo seguía atenta y no me moví durante algún tiempo. No obstante, al fin me levanté y examiné la estancia. Pensé que, aunque me estuvieran observando, parecía natural, dadas las circunstancias. Era un lugar sucio y destartalado. No tenía ventanas, cosa que me llamó la atención. Imaginé que la puerta estaría cerrada, pero no lo comprobé. En las paredes había algunos cuadros descoloridos representando escenas de *Fausto*.

Los dos oyentes de Jane lanzaron un «¡Ah!» al unísono, y la joven asintió.

—Sí... estaba en la casa del Soho donde encerraron al señor Beresford. Claro que entonces ni siquiera sabía que estaba en Londres. Una cosa me preocupaba muchísimo, pero mi corazón saltó de gozo al ver mi chaquetón sobre el respaldo de una silla. ¡Y *la revista seguía en el bolsillo*!

»¡Si pudiera estar segura de que no me observaban! Revisé las paredes con suma atención. No parecía haber ninguna mirilla... Sin embargo, estaba segura de que debía haberla. ¡De pronto, me senté sobre la mesa y, escondiendo el rostro entre las manos, comencé a sollozar, exclamando: *Mon Dieu! Mon Dieu!* Tengo un oído muy fino, y pude oír el rumor de una falda y un crujido ligero. Eso fue suficiente para mí. ¡Me vigilaban!

»Volví a tenderme en la cama y al cabo de un rato, Mrs. Vandemeyer me trajo algo para comer. Seguía mostrándose muy amable. Supongo que debieron decirle que se ganara mi confianza. Por fin, me mostró el envoltorio impermeable y preguntó si lo reconocía, sin dejar de mirarme con una mirada de lince.

»Lo cogí entre mis manos y estuve mirándolo con aire intrigado. Luego negué con la cabeza. Sin embargo, dije que tenía la vaga impresión de recordar algo relacionado con él, pero que cuando iba a acudir a mi memoria volvía a alejarse. Entonces me dijo que yo era su sobrina y que la llamara tía Rita. Obedecí y agregó que no me preocupara... que no tardaría en recobrar la memoria.

»Fue una noche terrible. Tracé un plan mientras esperaba que volviera. Los papeles habían estado seguros hasta entonces, pero no podía correr el riesgo de dejarlos ahí por más tiempo. Podían tirar la revista en cualquier momento. Permanecí despierta hasta lo que yo calculaba que debían ser las dos de la mañana. Entonces me levanté sin hacer ruido y fui palpando la pared hasta dar con uno de los cuadros. Lo descolgué con mucho cuidado; era el de «Margarita con el joyero». Saqué la revista de mi chaquetón y un par de sobres que había puesto en ella. Entonces fui hasta el lavabo y humedecí el papel marrón de la parte posterior del grabado, hasta que pude separarlo. Previamente había arrancado las dos páginas de la revista con las dos preciosas hojas del documento y las deslicé entre el grabado y el papel marrón. Con un poco de goma de los sobres conseguí pegarlo de nuevo. Nadie hubiera sospechado lo hecho. Volví a colgarlo en la pared, puse la revista en el chaquetón y volví a acostarme. Estaba satisfecha del escondite. Nunca se les ocurriría mirar en sus propios cuadros. Esperaba que llegasen a la conclusión de que Danvers había llevado un documento falso y que al fin me dejarían en libertad.

»A decir verdad, creo que esto debieron pensar al principio, y en cierto modo entrañaba un serio peligro para mí. En realidad, nunca hubo muchas oportunidades de que me dejaran libre. Después supe que estuvieron a punto de deshacerse de mí, pero el primer hombre, que era el jefe, prefirió conservarme viva por si acaso los hubiera escondido y pudiera decirles donde estaban cuando recobrase la memoria. Durante semanas me vigilaron constantemente. Algunas veces me interrogaban... Supongo que no ignoraban nada acerca de los interrogatorios de tercer grado, pero conseguí no traicionarme. Aunque aquella tensión fue terrible...

»Volvieron a llevarme a Irlanda y repetimos todos mis pasos del viaje anterior por si había escondido algo *en route*. Mrs. Vandemeyer y otra mujer no me dejaron ni un momento. Decían que era pariente de Mrs. Vandemeyer y que había perdido la memoria debido al hundimiento del *Lusitania*. No tenía nadie a quien acudir sin que me descubrieran, y si me arriesgaba y fracasaba... Mrs. Vandemeyer iba tan bien vestida y era tan hermosa que estaba segura de que todos habrían de creerle a ella, cuando les dijera que parte de mi enfermedad era creerme «perseguida». Comprendí que los horrores de mi aislamiento serían mucho más terribles si llegasen a enterarse de que había estado fingiendo.

Sir James asintió comprensivo.

—Mrs. Vandemeyer era una mujer de gran personalidad. Con su posición social le hubiera resultado fácil imponer su punto de vista. Las acusaciones contra ella no hubieran sido tenidas en cuenta, por más sensacionales que fueran.

—Eso es lo que pensé. Terminaron por enviarme a un sanatorio en Bournemouth. Al principio no sabía si era falso o auténtico. Una enfermera se hizo cargo de mí. Yo era una enferma especial. Me pareció tan simpática y normal que al fin decidí confiar en ella. La providencia me salvó a tiempo de caer en aquella trampa. Por casualidad mi puerta estaba entreabierta y la oí hablar con alguien en el pasillo. ¡*Era una de ellos*! Aún imaginaban que pudiera estar fingiendo y era la persona encargada de asegurarse. Después de esto ya no me atreví a confiar en nadie.

»Creo que casi me hipnoticé yo misma. Al cabo de un tiempo, apenas recordaba que yo era Jane Finn. Estaba tan acostumbrada a representar el papel de Janet Vandemeyer, que mis nervios empezaron a fallarme. Estuve enferma de verdad; durante varios meses me hundí en una especie de atontamiento. Tenía el convencimiento de que iba a morir pronto y nada me importaba ya. Dicen que una persona cuerda puede llegar a perder la razón encerrada en un manicomio. Creo que eso me pasó. El representar aquel papel se había convertido para mí en una segunda naturaleza. Al final, ni siquiera me sentía desgraciada... sólo apática. Todo me daba lo mismo... y los años fueron transcurriendo.

»Y de repente, las cosas cambiaron. Mrs. Vandemeyer regresó de Londres. Ella y el médico me estuvieron haciendo preguntas y probaron diversos tratamientos. Se habló de enviarme a un especialista de París. Al final, no se arriesgaron. Oí algo que parecía demostrar que otras personas... amigas... me buscaban. Más tarde supe que la enfermera que me cuidaba había ido a París para consultar al especialista simulando ser yo. La sometió a algunas pruebas que demostraron que su pérdida de memoria era fingida, pero había tomado nota de sus métodos y me sometieron a ellos. Confieso que no hubiera podido engañar a un especialista que ha pasado toda su vida dedicado a estudiar casos semejantes. Pero me las arreglé para salir airosa de sus artimañas. El que ya no pensara como Jane Finn me ayudó mucho.

»Una noche, sin previo aviso, me llevaron a Londres y me devolvieron a la casa del Soho. Una vez fuera del sanatorio me empecé a sentir distinta... como si en mí hubiera habido algo enterrado durante mucho tiempo que empezaba a despertar de nuevo.

»Me enviaron a servir a mister Beresford. Claro que entonces desconocía su nombre. Tuve miedo... pensé que era otra trampa, pero tenía una cara tan simpática que me resistía a creerlo. Sin embargo, tuve gran cuidado con mis palabras porque podían oírnos. Hay un agujero pequeño en lo alto de la pared.

»Pero el domingo por la noche llegó un mensaje a la casa; todos parecieron preocupados y sin que se dieran cuenta los estuve escuchando. Habían recibido orden de matarlo. No es preciso que les cuente lo que siguió, porque ya lo saben. Creí que tendría tiempo de subir para sacar los papeles de su escondite, pero me atraparon y, en ese momento, se me ocurrió gritar que el prisionero se escapaba y que yo deseaba volver con Marguerite. Grité el nombre tres veces, con todas mis fuerzas, para que creyeran que llamaba a Mrs. Vandemeyer, pero con la esperanza de que tal vez a mister Beresford se le ocurriera pensar en el cuadro. Lo había descolgado el primer día... y eso fue lo que me impidió confiar en él.

Hizo una pausa.

—Entonces el documento —dijo sir James— sigue en la parte de atrás del cuadro en aquella habitación.

—Sí. —La joven volvió a tenderse en el sofá extenuada, por la tensión de rememorar aquella historia.

Sir James se puso en pie y miró su reloj.

—Vamos —dijo—, tenemos que ir en seguida.

—¿Esta noche? —preguntó Tuppence sorprendida.

—Mañana puede ser demasiado tarde —replicó sir James en tono grave—. Además, si vamos esta noche tenemos la oportunidad de capturar al gran hombre y supercriminal... ¡A mister Brown!

Hubo un silencio y sir James continuó:

—Las han seguido hasta aquí... de eso no hay duda. Cuando salgamos de esta casa volverán a seguirnos, pero no nos molestarán, porque mister Brown quiere que lo guiemos. La casa del Soho está vigilada por la policía día y noche y por varios hombres. Cuando entremos en ella, mister Brown no retrocederá... lo arriesgará todo con tal de conseguir la chispa que hará estallar su bomba. ¡Y él imagina que el riesgo no será grande... puesto que entrará amparado con el disfraz de un amigo!

Tuppence enrojeció, abriendo la boca impulsivamente.

—Pero hay algo que usted ignora... que no le he dicho.

Miró a Jane perpleja.

—¿De qué se trata? —preguntó sir James impaciente—. No hay que vacilar, miss Tuppence. Tenemos que estar seguros de todo.

Sin embargo Tuppence, por primera vez, parecía tener la lengua atada.

—Es tan difícil... comprenda, si me equivoco. Oh, sería terrible. —Hizo una mueca indicando a Jane que dormía—. Nunca me lo perdonaría —murmuró misteriosa.

—¿Quiere que la ayude, verdad?

—Sí, por favor. Usted sabe quién es mister Brown, ¿no es cierto?

—Sí —replicó sir James—. Al fin lo sé.

—¿Al fin? —preguntó vacilando—. Ah, pero yo pensaba... —Se detuvo.

—Pensaba acertadamente, miss Tuppence. He tenido la certeza moral de su identidad desde hace algún tiempo... desde la noche de la misteriosa muerte de Mrs. Vandemeyer.

—¡Ah! —exclamó Tuppence.

—Porque iba contra la lógica de los hechos. Existían sólo dos soluciones. O bien el cloral lo tomó por su propia mano, cosa que rechazo plenamente, o de otro modo...

—¿Sí?

—Le fue administrado en el coñac que usted le dio a beber. Sólo tres personas tocaron ese coñac... usted, miss Tuppence, yo mismo, y una tercera... ¡Julius Hersheimmer! Sí. ¡Ése ese nuestro hombre, seguro!

Jane Finn volvió a sentarse, mirando al abogado con ojos de asombro.

—Al principio me parecía imposible. Mister Hersheimmer, como hijo de un millonario prominente, es una figura bien conocida en Estados Unidos. Parecía imposible que él y mister Brown pudieran ser la misma persona. Pero no se puede escapar a la lógica de los hechos... Puesto que era así... debía aceptarse. Recuerde la repentina e inexplicable agitación de Mrs. Vandemeyer. Otra prueba más, si es que era necesaria.

»Me tomé la libertad de dejárselo entrever. Por algunas palabras que dijo Hersheimmer en Manchester, me figuré que usted lo había comprendido y actuaba de acuerdo con ello. Entonces me puse a trabajar para demostrar que lo imposible era posible. Mister Beresford me telefoneó y me dijo lo que yo ya sospechaba: que la fotografía de miss Finn no había dejado de estar nunca en posesión de mister Hersheimmer.

Pero Jane le interrumpió. Se levantó de un salto y gritó furiosa:

—¿Qué quiere usted decir? ¿Qué trata de insinuar? ¡Que Julius es mister Brown! ¡Julius, mi propio primo!

—No, miss Finn —dijo sir James inesperadamente—. No es su primo. El hombre que se hace llamar Julius Hersheimmer no tiene ningún parentesco con usted.

CAPÍTULO XXVI

MISTER BROWN

Las palabras de sir James produjeron el efecto de
una bomba. Las dos jóvenes se miraron extraña-
dísimas. El abogado se dirigió a su escritorio y
regresó con un recorte de periódico que entregó a Jane.
Tuppence lo leyó por encima de su hombro. Carter lo
hubiera reconocido. En él se hablaba de un hombre
misterioso que apareció muerto en Nueva York.

—Como le decía a miss Tuppence —resumió el abogado—, me puse a trabajar para probar lo que parecía imposible. El muro más difícil de franquear era
el hecho innegable de que Julius Hersheimmer no era
un nombre supuesto. Cuando llegó a mis manos
este recorte, mi problema quedó resuelto. Julius
Hersheimmer había salido en busca del paradero
de su prima. Fue al Oeste, donde le dieron noticias
y una fotografía que le ayudara a encontrarla. La
tarde de su partida de Nueva York fue asaltado y asesinado. Vistieron su cadáver con ropas humildes y le
desfiguraron el rostro para evitar que pudieran identificarlo.

»Mister Brown ocupó su puesto y salió inmediatamente para Inglaterra. Ninguno de los verdaderos amigos o parientes del auténtico Hersheimmer lo vieron
antes de partir... aunque en realidad poco hubiera importado, puesto que la suplantación era perfecta.
Desde entonces ha sido carne y uña de los que nos ha-

bíamos conjurado para atraparlo. Todos nuestros secretos le eran conocidos. Sólo una vez estuvo a punto de fracasar. Mrs. Vandemeyer conocía su secreto. No entraba en sus cálculos que ofrecieran una cantidad tan crecida para sobornarla. A no ser el afortunado cambio de plan de miss Tuppence, hubiera estado lejos del piso cuando nosotros llegamos. Vio claramente que estaba a punto de ser descubierto y dio un paso deseperado, confiando en su supuesta personalidad para evitar sospechas. Casi lo consiguió... aunque no del todo.

—No puedo creerlo —murmuró Jane—. Parecía tan espléndido.

—¡El verdadero Julius Hersheimmer era muy espléndido! Y mister Brown es un actor consumado. Pero pregunte a miss Tuppence si no tenía también sus sospechas.

Jane se volvió a Tuppence sin articular palabra.

—No quería decirlo, Jane... sabía que iba a dolerte. Y, después de todo, no estaba segura. Todavía sigo sin comprender porqué nos rescató, si era mister Brown.

—¿Fue Julius Hersheimmer quien las ayudó a escapar?

Tuppence relató a sir James los emocionantes acontecimientos de aquella noche, concluyendo:

—¡Pero no comprendo por qué!

—¿No? Pues yo sí. Y también el joven Beresford, por lo que me ha contado. Como última esperanza había que dejar escapar a Jane Finn... y debía organizarse de modo que no sospechara que era una farsa. No les importó que el joven Beresford estuviera en el vecindario, y que de ser preciso se comunicara con usted. Ya procurarían quitarlo de en medio en el momento oportuno. Entonces Julius Hersheimmer las rescata de un modo melodramático. Llueven las balas... pero no hieren a nadie. ¿Qué hubiera ocurrido luego? Que las hubieran llevado directamente a la casa del Soho para recobrar el documento que miss Finn sin duda hubiera confiado a la custodia de su primo. De ser él quien dirigiera la búsqueda, hubiera simulado encontrar el escondite vacío. Hubiera tenido una docena de salidas para resolver la situación, pero el resultado hubiese sido el mismo. Imagino que después a ustedes dos les hubiera ocurrido algún accidente. Sabían demasiado. Confieso que me han pescado dormido, pero alguien estaba muy alerta.

—Tommy —dijo Tuppence en voz baja.

—Sí. Sin duda cuando llegó el momento de librarse de él... fue más listo que ellos. De todas formas, no estoy demasiado tranquilo, por lo que puede haberle ocurrido a ese muchacho.

—¿Por qué?

—Porque Julius Hersheimmer es mister Brown —replicó sir James secamente—. Y es preciso más de un hombre y más de un revólver para detener a mister Brown.

Tuppence palideció.

—¿Qué podemos hacer?

—Nada. Hasta que hayamos ido a la casa del Soho. Si Beresford aún les lleva ventaja no hay nada que temer. ¡Por otra parte, si el enemigo viene a buscarnos, no nos encontrará desprevenidos!

Y dicho esto sacó un revólver de uno de los cajones de su escritorio y lo guardó en el bolsillo de su americana.

—Ahora estamos dispuestos. Sé que ahora menos que nunca puedo pedirle que no venga, miss Tuppence.

—¡Por supuesto!

—Pero sugiero que miss Finn se quede aquí. Estará a salvo y me parece que está extenuada por todo lo que ha tenido que soportar.

Pero ante la sorpresa de Tuppence, Jane movió la cabeza.

—No, yo voy con ustedes. Esos papeles fueron entregados a mi custodia. Debo seguir este asunto hasta el final, y ahora me encuentro mucho mejor.

Sir James mandó traer su automóvil y, durante el

breve trayecto, el corazón de Tuppence latió apresuradamente.

A pesar de sus momentáneas dudas e inquietudes con respecto a Tommy, no podía dejar de sentirse contenta.

¡Iban a conseguirlo!

El coche dobló la esquina de la plaza y se apearon.

Sir James se aproximó a un hombre vestido de paisano que estaba de servicio con otros y, después de dirigirle unas palabras, volvió a reunirse con las dos jóvenes.

—Nadie ha entrado en la casa hasta ahora. Está vigilada también por la parte de atrás de modo que están seguros. Cualquiera que lo intente, después de que entremos nosotros, será detenido inmediatamente. ¿Vamos?

Un policía trajo una llave. Todos conocían a sir James, y también habían recibido órdenes con respecto a Tuppence. Sólo el tercer miembro de la expedición les era desconocido. Entraron los tres, cerrando la puerta a sus espaldas, y lentamente comenzaron a subir la desvencijada escalera.

Arriba estaba la cortina raída que ocultaba el rincón donde Tommy estuvo escondido aquel día. Tuppence había oído contárselo a Jane cuando para ella era sólo «Annette». Contempló el terciopelo descolorido con interés. Incluso podía imaginar el contorno de una figura que se movía... como si hubiera *alguien* oculto tras ella. Tan fuerte era la impresión que no dudó en convencerse que mister Brown... Julius, estaba allí esperándolos.

¡Imposible, desde luego! Pero a punto estuvo de apartar la cortina para asegurarse. Estaban llegando a la habitación del encierro. «Allí no había sitio donde poder ocultarse», pensó Tuppence con un suspiro de alivio al tiempo que se reprendía severamente. No debía dejarse llevar de sus tontas imaginaciones... de aquella persistente sensación de que *mister Brown estaba allí*... ¡Eh! ¿Qué era aquello? ¿Pisadas en la escalera? Debía haber *alguien* en la casa. ¡Era absurdo! Se estaba poniendo histérica.

Jane fue directamente a descolgar el grabado de «Margarita con el joyero». Estaba cubierto de una espesa capa de polvo y los festones de telarañas colgaban entre él y la pared. Sir James le tendió su cortaplumas y ella rasgó el papel marrón de la parte de atrás del cuadro... Una página de anuncio de una revista cayó al suelo y Jane la recogió y, al separar sus extremos, extrajo dos hojas de papel fino, cubiertas de escritura.

¡Esta vez no era el falso, sino el verdadero documento!

—Lo hemos conseguido —dijo Tuppence—. Al fin...

El momento era de gran emoción, y se olvidaron los ligeros crujidos y ruidos imaginarios de minutos antes. Ninguno de ellos tenía los ojos más que para lo que Jane tenía en sus manos.

Sir James cogió los dos folios y los examinó atentamente.

—Sí —dijo con calma—, éste es el maldito documento.

—Hemos triunfado —exclamó Tuppence maravillada. El asombro y la incredulidad se reflejaron en su tono.

Sir James repitió sus palabras mientras doblaba los dos folios con sumo cuidado y los introducía en su librito de notas. Luego contempló la habitación con curiosidad.

—Aquí es donde estuvo encerrado su joven amigo, ¿verdad? —dijo—. Es un lugar siniestro. Fíjense en la ausencia de ventanas y el grosor de la puerta que cierra herméticamente. Lo que aquí ocurra no podrá ser oído en el exterior.

Tuppence se estremeció; aquellas palabras la alarmaron. ¿Y si hubiera alguien oculto en la casa? ¿Alguien que cerrara aquella puerta y los dejara encerrados en aquella ratonera? Comprendió en seguida lo absurdo de sus pensamientos. La casa estaba rodeada por la policía, quien al no verles salir, no vacilaría en entrar para efectuar un registro. Se rió de sus temores... y al alzar los ojos se sobresaltó al ver cómo sir James la observaba.

—Tiene usted razón, miss Tuppence. Usted olfatea el peligro, igual que yo, y que miss Finn.

—Sí —admitió Jane—. Es absurdo... pero no puedo evitarlo.

Sir James volvió a asentir.

—Ustedes perciben... todos presentimos... *la presencia de mister Brown*. Sí, no existe la menor duda... mister Brown está aquí.

—¿En la casa?

—En esta habitación... ¿No lo comprenden? *Yo soy mister Brown*.

Estupefactas lo miraron sin dar crédito a sus oídos. Las líneas de su rostro habían cambiado. Tenían ante ellas a un hombre distinto, que sonreía de un modo cruel.

—¡Ninguna de las dos saldrá con vida de esta habitación! Acaban de decir que hemos triunfado. ¡Yo he triunfado! El documento es mío. —Su sonrisa se ensanchó al mirar a Tuppence—. ¿Quiere saber lo que ocurrirá? Tarde o temprano entrará la policía y encontrará a las víctimas de mister Brown... tres, ¿comprende?, no dos. Pero por fortuna la tercera no estará muerta, sólo herida y podré describir el ataque con toda suerte de detalles. ¿Y el documento? Está en manos de mister Brown. ¡De modo que a nadie se le ocurrirá registrar los bolsillos de sir James Peel Edgerton!

Se volvió hacia Jane.

—Usted supo engañarme. Lo reconozco, pero no volverá a ocurrir.

Se oyó un ligero ruido a sus espaldas, pero embebido en su éxito no volvió la cabeza. Se llevó la mano al bolsillo.

—Jaque mate a los Jóvenes Aventureros —dijo alzando lentamente su automática.

Pero al hacerlo, se sintió aprisionado por una garra de hierro. El revólver cayó de su mano, y la voz de Julius Hersheimmer dijo despacio:

—Lo hemos cogido con las manos en la masa.

La sangre desapareció del rostro del abogado, pero el dominio que tenía de sí mismo era maravilloso, y se puso en evidencia al mirar a sus dos captores. Contempló a Tommy largamente.

—Usted —dijo entre dientes—. ¡Usted! Debí figurármelo.

Al ver que no ofrecía resistencia, aflojaron la presión y, rápido como el rayo, se llevó la mano izquierda, en la que llevaba un gran anillo, a los labios.

—*Ave Cesar, morituri te salutant*! —dijo sin dejar de mirar a Tommy.

Luego su rostro cambió y, con un estremecimiento convulsivo, cayó hacia delante como un saco, mientras se esparcía por el aire un olor a almendras amargas...

Capítulo XXVII

CENA EN EL SAVOY

La cena ofrecida por Julius Hersheimmer en la noche del día treinta a un grupo de amigos habría de recordarse mucho tiempo en los servicios de restauración. Se llevó a cabo en un apartamento privado y las órdenes de Hersheimmer fueron breves y terminantes. Dio carta blanca, y cuando un millonario da carta blanca, suele conseguir lo que quiere.

Se ofrecieron todas las exquisiteces fuera de estación. Los camareros servían un vino añejo y superior, tratando las botellas con suma delicadeza. La decoración floral desafiaba a todas las estaciones, y frutas que maduraban en mayo y otras en noviembre se encontraban reunidas milagrosamente. La lista de invitados era reducida, pero selecta: el embajador norteamericano; mister Carter, que según dijo se había permitido la libertad de traer a un amigo suyo: a sir William Beresford; el arcediano Cowley; el doctor Hall; los dos jóvenes aventureros, miss Prudence Cowley y Thomas Beresford y, por último, aunque no la última, la invitada de honor, miss Jane Finn, en cuyo homenaje organizó Julius Hersheimmer la fiesta.

Julius no había escatimado esfuerzos para que la aparición de Jane fuera todo un éxito. Una llamada misteriosa hizo que Tuppence acudiera a la puerta del departamento, que compartía con la joven norteamericana. Era Julius, que traía un cheque en la mano.

—Oye, Tuppence —comenzó—, ¿querrás hacerme un favor? Toma esto y procura que Jane compre todo lo necesario para estar bonita esta noche. Vais a venir a cenar conmigo al Savoy, ¿sabes? No repares en gastos. ¿Entendido?

—De acuerdo —replicó Tuppence—. ¡Lo que vamos a divertirnos! Será un placer vestir a Jane. Es la persona más encantadora que he visto en mi vida.

—Eso pienso yo —convino Hersheimmer con un fervor que hizo brillar los ojos de Tuppence.

—A propósito, Julius, todavía... no te he dado mi respuesta.

—¿Tu respuesta? —repitió Julius, palideciendo.

—Ya sabes... cuando me pediste que... me casara contigo —concluyó Tuppence con los ojos bajos como una heroína de la época victoriana—. Y no quisiera que lo interpretaras como una negativa. Lo he pensado bien...

—¿Sí? —dijo Julius con la frente perlada de sudor.

—¡Grandísimo tonto! ¿Qué diablos te impulsó a pedírmelo? ¡Me he dado cuenta de que no te importo un comino!

—No es cierto. Siempre he experimentado por ti, y sigo experimentando, los más altos sentimientos de estimación, respeto... y admiración.

—¡Hum...! —replicó Tuppence—. ¡Esa clase de sentimientos son los que desaparecen cuando llega otro más fuerte! ¿No es verdad?

—No sé a qué te refieres —dijo Hersheimmer enrojeciendo violentamente.

—¡Cáspita! —exclamó la joven, y cerró la puerta riendo. Volvió a abrirla para añadir con dignidad—: ¡Moralmente siempre consideraré que me has dejado plantada!

—¿Quién era? —preguntó Jane cuando Tuppence se reunió con ella.

—Julius.

—¿Qué quería?

—La verdad, creo que quería verte, pero yo no le he dejado. ¡Hasta esta noche, cuando aparezcas como el rey Salomón en su gloria! ¡Vamos! ¡*Nos vamos de compras*!

Para la mayoría de la gente, el tan cacareado día veintinueve, «Día de los Laboristas», había transcurrido como cualquier otro. Se pronunciaron discursos en el Hyde Park y en Trafalgar Square, y varias manifestaciones, cantando *Bandera Roja*, pasearon por las calles más o menos a la ventura. Los periódicos que habían hablado de una huelga general y la inauguración de un reinado terrorista, se vieron obligados a agachar la cabeza. Los más osados y astutos dijeron que la paz había sido el efecto producido por seguir sus consejos. En la prensa del domingo, apareció una breve nota dando cuenta de la muerte repentina de Sir James Edgerton, el famoso abogado. La del lunes puso de relieve la carrera de aquel hombre, pero la verdad exacta de las causas que provocaron su muerte no se hizo pública.

Tommy tuvo razón al prever la situación. Todo era obra de un solo hombre y, faltos de su jefe, la organización se vino abajo. Kramenin tuvo que regresar a Rusia precipitadamente y salió de Inglaterra a primera hora del domingo. Los conspiradores abandonaron Astley Priors dominados por el pánico y, en su apresuramiento, se dejaron tras sí varios documentos que los comprometía irremisiblemente. Con aquellas pruebas en sus manos, además de un pequeño diario marrón que encontraron en el bolsillo del difunto que contenía un resumen de todo el complot, el gobierno convocó una rueda de prensa, y los dirigentes laboristas se vieron obligados a reconocer que les habían utilizado. El gobierno hizo algunas concesiones que fueron aceptadas en el acto. ¡Era la paz y no la guerra!

Pero el gabinete sabía lo cerca que había estado del

desastre total. Y en el cerebro de Carter bullía la extraña escena que se había producido la noche anterior en la casa del Soho.

Había entrado en la reducida habitación, encontrando a su gran amigo, al amigo de toda su vida, muerto, descubierto por sus propias palabras. De su bolsillo extrajo él malhadado documento, y allí mismo, en presencia de los otros tres, lo redujo a cenizas... ¡Inglaterra estaba salvada!

Y ahora, la noche del día treinta, en un saloncito privado del Savoy, Julius P. Hersheimmer obsequiaba a sus amigos.

Carter fue el primero en llegar, acompañado de un anciano caballero de aspecto iracundo, ante el cual Tommy enrojeció hasta la raíz del cabello.

—¡Ajá! —dijo el anciano caballero contemplándolo con ojo crítico—. Conque tú eres mi sobrino, ¿eh? No eres gran cosa... pero has realizado un buen trabajo, según parece. Después de todo tu madre no debió educarte mal. ¿Quieres que digamos lo pasado, pasado? Eres mi heredero, ¿sabes? De ahora en adelante pienso darte una asignación... y puedes considerar Chalmers Park como tu casa.

—Gracias, señor, es muy noble de su parte.

—¿Dónde está esa jovencita de quien tanto he oído hablar?

Tommy le presentó a Tuppence.

—¡Ajá! —dijo sir William al verla—. Las chicas de ahora no son como en mis tiempos.

—Sí lo son —replicó Tuppence—. Quizá sus ropas sean distintas, pero en su interior, son las mismas.

—Bueno, tal vez tengas razón. Entonces las había muy desenvueltas... y ahora también.

—Eso es —dijo Tuppence—. Yo lo soy mucho.

—Te creo. —El anciano rió tirándole de una oreja. La mayoría de las jovencitas sentían temor ante «el viejo oso», como lo llamaban, Pero al desparpajo de Tuppence le resultaba encantador al viejo misógino.

Luego llegó el tímido arcediano, un tanto azorado por hallarse en semejante compañía y satisfecho porque su hija se había distinguido, aunque no pudo evitar mirarla de vez en cuando con aprensión. Pero Tuppence se comportó admirablemente. No cruzó las piernas, supo contener su lengua y se negó a fumar.

El siguiente en llegar fue el doctor Hall, seguido del embajador norteamericano.

—Podemos sentarnos —dijo Hersheimmer cuando hubo presentado a todos sus invitados—. Tuppence, ¿quieres...?

Le indicaba el sitio de honor, mas Tuppence movió la cabeza.

—¡No... éste es el lugar que corresponde a Jane! Cuando pienso en lo que ha tenido que soportar durante estos años... esta noche tiene que ser ella la reina de la fiesta.

Julius le dirigió una mirada agradecida y Jane se adelantó tímidamente a ocupar su puesto. Si antes era ya de por sí bonita, ahora estaba maravillosa con sus nuevas galas. Tuppence había cumplido su papel de asesora a la perfección. El modelo que adquirieron en una famosa casa de modas se titulaba «Lirio atigrado»... y era de tonos dorados, rojos y castaños suaves... de entre lo que se alzaba como una columna blanca la garganta de la joven y la masa de cabellos bronceados que coronaban su preciosa cabeza. Todos la miraron con admiración mientras se sentaba.

Pronto la reunión estuvo en pleno apogeo y de común acuerdo todos pidieron a Tommy una explicación completa y detallada.

—Eres demasiado reservado —le acusó Julius—. ¡Me dijiste que te ibas a la Argentina... aunque me figuro qué razón tendrías para ello! ¡El que tú y Tuppence creyerais que yo era mister Brown me hace desternillar de risa!

—La idea no fue suya —dijo Carter en tono grave—.

Les fue insinuada, y el veneno hizo su efecto al ser cuidadosamente administrado por un maestro en ese arte. La noticia del periódico neoyorquino le hizo concebir el plan y con él fue tejiendo una red que casi les envolvió fatalmente.

—Nunca me fue simpático —dijo Hersheimmer—. Desde el principio me dio mala espina, y siempre sospeché que había sido él quien hizo callar a Mrs. Vandemeyer tan oportunamente. Pero no fue hasta que supe que la orden de ejecutar a Tommy llegó inmediatamente después de nuestra entrevista con él aquel domingo, cuando empecé a sospechar que el pez gordo era él.

—Yo nunca lo sospeché —se lamentó Tuppence—. Siempre me creí mucho más lista que Tommy... pero esta vez me ha tomado la delantera.

—¡Tommy ha sido el cerebro! —exclamó Julius—. Y en vez de quedarse ahí sentado callado como un muerto, dejemos que se le pase el sofoco y que nos lo cuente todo minuciosamente.

—¡Venga! ¡Venga!

—No hay nada que contar —dijo Tommy turbado—. Fui un estúpido... hasta el momento en que encontré la fotografía de Annette, y comprendí que era Jane Finn. Entonces recordé la insistencia con que gritó la palabra «Marguerite», me acordé de los cuadros y... bueno, eso es todo. Entonces, naturalmente, repasé todo lo ocurrido para ver dónde había metido la pata.

—Continúe —le dijo Carter, al ver que Tommy parecía dispuesto a volver a su mutismo.

—Lo de Mrs. Vandemeyer me había preocupado cuando Julius me lo contó. A simple vista parecía que él o sir James debieron darle muerte. Pero no sabía cuál de los dos. El encontrar esa fotografía en el cajón, después de la historia que nos contó de habérsela entregado al inspector Brown, me hizo sospechar de Julius. Luego recordé que fue sir James quien había descubierto a la falsa Jane Finn.

»Al final, no supe por cuál decidirme... y por lo tanto resolví no correr ningún riesgo. Dejé una nota a Julius por si era mister Brown, diciéndole que me marchaba a la Argentina, y dejé la carta de sir James sobre el escritorio donde aparecía la oferta de empleo para que viera que era cierto. Luego escribí a mister Carter y telefoneé a sir James. Lo mejor era hacerle mi confidente a pesar de todo, y sólo le oculté que creía saber dónde estaba escondido el documento. La forma en que me ayudó a buscar a Tuppence y Annette casi llegó a desarmarme, pero no del todo. Continué considerándolos sospechosos a ambos, y luego, al recibir una nota falsa de Tuppence... lo supe.

—¿Pero cómo?

Tommy sacó de su bolsillo la nota en cuestión, que pasó de mano en mano.

—Es su letra, desde luego, pero supe que no era suya por la firma. Ella nunca escribe Twopence, con «w» y una sola «p», pero cualquiera que no hubiera visto su nombre escrito lo hubiese escrito así. Julius lo había visto. En cierta ocasión me mostró una carta suya... *pero sir James no*. Después todo fue coser y cantar. Envié a Albert a avisar a mister Carter a toda prisa. Yo simulé marcharme, pero regresé. Cuando Julius llegó en su coche, comprendí que no formaba parte del plan de mister Brown y que probablemente complicaría las cosas. Si sir James no era cogido in fraganti, sabía que mister Carter ¡no daría crédito a mis palabras!

—Y no se lo di —intervino Carter avergonzado.

—Por eso envié a las señoritas a casa de sir James. Estaba seguro de que tarde o temprano lo atraparíamos en la casa del Soho. Amenacé a Julius con el revólver porque quería que Tuppence se lo contara a sir James, y así no se preocupara por nosotros. En cuanto las dos se perdieron de vista, le dije a Julius que me llevara volando a Londres y por el camino le conté toda la historia. Llegamos a la casa del Soho con tiempo sobrado y encontramos fuera a mister Carter. Después de disponerlo todo, entramos y nos escondimos detrás de la cortina del rellano. El policía recibió la orden de decir, si le preguntaban, que nadie había entrado en la casa. Eso es todo.

Tommy se detuvo bruscamente.

Hubo un silencio.

—A propósito —dijo Hersheimmer de pronto—. Están equivocados con respecto a esa fotografía de Jane. Me la quitaron, pero volví a encontrarla.

—¿Dónde? —exclamó Tuppence.

—En la caja fuerte del dormitorio que ocupaba Mrs. Vandemeyer.

—Sabía que habías encontrado algo —dijo Tuppence en tono de reproche—. A decir verdad, por eso empecé a sospechar de ti. ¿Por qué no lo dijiste?

—Yo también desconfiaba. Me la habían quitado una vez, y estaba resuelto a no soltarla hasta que un fotógrafo me hiciera una docena de copias.

—Todos ocultamos una cosa u otra —dijo Tuppence pensativa—. ¡Supongo que trabajar para el Servicio Secreto hace que uno sea así!

Durante la pausa que siguió, Carter sacó de su bolsillo un librito de notas marrón muy usado.

—Beresford acaba de decir que yo no hubiera creído en la culpabilidad de sir James Peel Edgerton, a menos que lo cogiéramos in fraganti. Es cierto. No obstante, hasta que no hube leído el contenido de este librito, no me fue posible dar crédito a la sorprendente verdad. Este libro pasará a ser posesión de Scotland Yard, pero nunca se exhibirá públicamente. El largo tiempo que sir James estuvo asociado con la ley lo hace poco deseable. Pero a ustedes, que conocen la verdad, voy a leerles ciertos pasajes que ponen de relieve la extraordinaria mentalidad de este gran hombre.

Abrió el librito y comenzó a pasar las páginas.

«Es una locura escribir este libro. Lo sé. Es una prueba contra mí. Pero nunca me han asustado los pe-

ligros, y siento la imperiosa necesidad de desahogar-
me... Este librito sólo podrán cogerlo de mi cadáver...

»Desde muy joven comprendí que poseía cualidades
excepcionales. Sólo un tonto no sabe apreciar su capacidad. Mi cerebro era muy superior al término medio.
Supe que había nacido para el éxito. De lo único que se
me podía tachar era de vulgar. Vulgar e insignificante...

»Cuando era niño asistí a un famoso juicio por asesinato. Me impresionó mucho la elocuencia y habilidad
del abogado defensor, y por primera vez pensé dedicar
mis talentos a aquella profesión... En otro juicio observé al criminal que se sentaba en el banquillo. Era un
tonto... se portó de un modo estúpido, y ni siquiera un
buen abogado defensor fue capaz de salvarlo. Sentí un
gran desprecio por él... y se me ocurrió que el tipo criminal era de un nivel lamentable. Era la miseria, los
fracasos y los altibajos de la vida lo que les arrastraron
al crimen... Me extrañó que hombres inteligentes no
hubieran comprendido nunca sus extraordinarias
oportunidades... Estuve dando vueltas a la idea... ¡Qué
campo tan magnífico! ¡Posibilidades ilimitadas! Mi cerebro comenzó a dar vueltas...

»Leí obras sobre crímenes y criminales. Todas con-
firmaron mi opinión. Siempre las causas fueron dege-
neración, enfermedad... pero nunca la carrera escogida
deliberadamente por un hombre con visión de futuro.
Entonces me puse a pensar. Supongamos que se reali-
zaran mis mayores ambiciones, que fuese admitido en
el foro... y me elevara hasta la cima de mi profesión...
que ingresara en la política... incluso, que llegara a ser
primer ministro de Inglaterra. ¿Y entonces qué? ¿Era
eso poder? Con el estorbo de mis colegas y encadenado
a un sistema democrático sólo sería un líder nominal.
¡No... el poder con que yo soñaba era absoluto! ¡Ser un
autócrata! ¡Un dictador!

»Y ese poder sólo podía obtenerse trabajando fuera
de la ley. Jugando con las debilidades de la naturaleza
humana, luego con las debilidades de las naciones...

reunir y dirigir una vasta organización y, por fin, ava-
sallar el orden existente y gobernar. La idea se apoderó
de mí...

»Vi que debía llevar dos vidas. Un hombre como yo,
es lógico que llamara la atención. Debía tener una carrera de éxitos que encubriera mis verdaderas actividades. También debía cultivar mi personalidad. Tomé
como modelo a un famoso consejero del reino e imité
sus modales, su magnetismo. Si hubiera escogido la
profesión de actor, hubiera sido el mejor actor del
mundo. Nada de disfraces ni afeites ni barbas postizas.
¡Personalidad! ¡Me la calcé como un guante! Cuando
quería era un hombre tranquilo, discreto... como cualquier otro. Me hacía llamar mister Brown. Hay cientos
de hombres que se llaman Brown y tienen mi mismo
aspecto...

»Tuve éxito en mi falsa carrera. Había nacido para
lograrlo, y tenía que triunfar también en la otra. Un
hombre como yo no puede fracasar...

»He leído la vida de Napoleón. Él y yo tenemos muchas cosas en común...

»Me especialicé en la defensa de criminales. Un
hombre debe velar por los suyos...

»Un par de veces tuve miedo. La primera fue en Ita-
lia. Tuvo lugar en una cena. El profesor D... el famoso
alienista estaba presente. La conversación versó acerca
de la locura. Dijo: «Muchos grandes hombres están
locos, y nadie lo sabe... ni siquiera ellos mismos». No
comprendí por qué me miraba a mí al decirlo. Su mirada era extraña. No me agradó...

»La guerra me ha trastornado. Creía que favorecería
mis planes. ¡Los alemanes son tan eficientes! Su sistema de espionaje también era excelente. Las calles están
llenas de esos muchachos vestidos de caqui. Todos tontos de cabeza hueca. Sin embargo, no sé... Ganaron la
guerra... Me inquieta...

»Mis planes van bien. Ha intervenido una muchacha... no creo que en realidad sepa nada. Pero debemos

renunciar a Estonia. No debemos correr riesgos ahora...

»Todo va bien. Su pérdida de memoria es una contrariedad. No puede ser fingida. ¡Ninguna muchacha podría engañarme...!

»El veintinueve. Está muy cerca».

Carter hizo una pausa.

—No leeré los detalles del *coup* que estaba planeando. Pero hay dos pequeños incisos que se refieren a ustedes tres. Son interesantes. Se los leeré.

»Induciendo a la joven a acudir a mí por su propia voluntad, he conseguido desarmarla. Pero tiene ciertas intuiciones muy agudas que pudieran resultar peligrosas. Debe desaparecer... No puedo hacer nada con el norteamericano: sospecha y le desagrado. Pero no lo puede saber. Mi armadura es inexpugnable... Algunas veces temo haber menospreciado al otro muchacho. No es listo, pero es difícil cerrarle los ojos ante la evidencia...»

Carter cerró el librito.

—Un gran hombre —dijo—. Un genio o un loco, ¿quién puede asegurarlo? Yo no me atrevería a hacerlo.

Hubo un silencio.

Luego, Carter se puso en pie.

—Voy a brindar. ¡Por los jóvenes aventureros que se han visto coronados por el éxito!

Todos bebieron aclamándolos.

—Hay algo más que quisiera saber —continuó Carter, dirigiéndose al embajador norteamericano—. Hablo también en su nombre. Pedimos a miss Jane Finn que nos cuente la historia que hasta ahora sólo conoce miss Tuppence, pero antes bebamos a su salud. ¡A la salud de una de las más valientes hijas de Estados Unidos, a quien deben gratitud dos grandes países!

Capítulo XXVIII

Y DESPUÉS...

Ha sido un brindis magnífico, Jane —decía Julius Hersheimmer mientras acompañaba a su prima al Ritz, en un «Rolls-Royce».

—¿El de los jóvenes aventureros?

—No... el que te dedicaron a ti. No hay otra muchacha en el mundo que hubiera hecho lo que tú hiciste. ¡Eres maravillosa!

Jane meneó la cabeza.

—No me siento maravillosa... sino cansada y sola... y deseosa de regresar a mi patria.

—Eso me recuerda que quiero pedirte una cosa. He oído que el embajador decía a su esposa que esperaba que fueras con ellos a la Embajada. Esto está muy bien, pero yo tengo otro plan, Jane. ¡Quiero que te cases conmigo! No te asustes y digas que no en seguida. Claro que no puedes quererme tan pronto; sería imposible. Pero yo te quiero desde el momento en que vi tu fotografía... y ahora que te he visto, estoy loco por ti. Si te casaras conmigo no te molestaría, te dejaría hacer lo que quisieras. Tal vez nunca llegues a quererme, y en ese caso te devolvería tu libertad. Pero quiero tener derecho a velar por ti y cuidarte con todo cariño.

—Eso es lo que deseo —dijo la joven alegremente—. Tener a alguien que me cuide. ¡Oh, tú no sabes lo sola que me encuentro!

—Claro que sí. Entonces todo arreglado. Mañana por la mañana visitaré al arzobispo para que nos dé una licencia especial.

—¡Oh, Julius!

—Bueno, Jane, no quiero apresurarte, pero no tendría sentido que esperáramos. No tengas miedo. No espero que me quieras en seguida.

Una delicada mano cogió la suya.

—Te quiero ya, Julius —dijo Jane Finn—. Te quiero desde el momento en que te rozó aquella bala en el automóvil.

Cinco minutos después, Jane murmuraba con voz muy queda:

—No conozco Londres muy bien, Julius, ¿pero hay tanta distancia del Savoy al Ritz?

—Eso depende de por dónde se vaya —explicó Julius sin avergonzarse—. ¡Y nosotros pasaremos por Regent's Park!

—¡Oh, Julius...! ¿Qué pensará el chófer?

—Con el sueldo que le pago, sabe que es mejor no tener ideas propias, Jane; la única razón que me ha impulsado a organizar la cena en el Savoy ha sido para poder acompañarte a casa. No veía otro medio de verte a solas. Tú y Tuppence estáis siempre juntas como dos hermanas siamesas. ¡Si llega a pasar un día más creo que Beresford y yo nos volvemos locos!

—¡Oh! ¿Está...?

—Claro que sí. Como un loco.

—Lo suponía —dijo Jane, pensativa.

—¿Por qué?

—¡Por todo lo que Tuppence no me ha dicho!

—En eso me has ganado. Venga, cuéntame —dijo Hersheimmer.

Pero Jane sólo se rió sin soltar prenda.

Entre tanto, los jóvenes aventureros estaban sentados muy erguidos y nerviosos en el interior de un taxi, que con gran carencia de originalidad les llevaba al Ritz por Regent's Park.

Entre los dos existía una gran tirantez. Sin que supieran qué había ocurrido, todo parecía distinto. Estaban mudos... paralizados, y su antigua camaradería había desaparecido.

Tuppence no encontraba nada que decir.

A Tommy le ocurría lo mismo.

Permanecían completamente inmóviles, sin atreverse a mirarse.

Por fin Tuppence hizo un esfuerzo desesperado.

—Ha sido bastante divertido, ¿no te parece?

—Sí, bastante.

Otro silencio.

—Me gusta Julius. —Tuppence hizo de nuevo un gran esfuerzo.

Tommy pareció volver a la vida.

—No vas a casarte con él, ¿me oyes? —dijo en tono imperativo—. Te lo prohíbo.

—¡Oh! —exclamó ella sumisa.

—Rotundamente, ¿entiendes?

—Él no quiere casarse conmigo... sólo me lo pidió por cortesía.

—Eso no es muy verosímil —gruñó Tommy.

—Es cierto. Está loco por Jane. Supongo que se estará declarando en estos momentos.

—Harán una buena pareja —replicó Tommy, en tono condescendiente.

—¿No te parece la criatura más encantadora del mundo?

—¡Oh, no está mal!

—Pero supongo que tú preferirás ante todo un producto del país.

—Yo... ¡Oh, déjate de tonterías, Tuppence, ya lo sabes!

—Me gusta tu tío, Tommy —dijo Tuppence desviando la conversación—. A propósito, ¿qué piensas hacer? ¿Aceptar el ofrecimiento de mister Carter de un empleo en el gobierno, o el mejor remunerado de Julius en su rancho de Estados Unidos?

—Creo que el del viejo, aunque considero que Hersheimmer se ha portado estupendamente. Además, creo que tú te encontrarás mejor en Londres.

—No veo qué tengo yo que ver.

—Pues yo sí —afirmó Tommy.

Tuppence lo miró de reojo.

—También está el dinero —comentó pensativa.

—¿Qué dinero?

—Nos van a dar un cheque a cada uno. Me lo dijo mister Carter.

—¿Preguntaste cuánto? —dijo Tommy con sarcasmo.

—Sí —replicó Tuppence triunfante—. Pero eso es algo que no te lo diré.

—¡Tuppence, eres el colmo!

—Ha sido divertido, ¿verdad, Tommy? Espero que tengamos que correr muchísimas más aventuras.

—Eres insaciable, Tuppence. Yo ya tengo bastante de momento.

—Bueno, el ir de compras casi resulta igual de divertido —dijo la joven, con voz soñadora—. Piensa lo estupendo que será comprar muebles, cortinas de seda, alfombras de colores brillantes... una mesa de comedor bien lustrada y un diván con muchos almohadones...

—Para el carro —dijo Tommy—. ¿Para qué tantas cosas?

—Posiblemente para una casa... pero yo prefiero un apartamento.

—¿El apartamento de quién?

—Tú crees que me importa decirlo, pero no me importa en absoluto. ¡El nuestro, para que lo sepas!

—¡Amor mío! —exclamó Beresford, estrechándola entre sus brazos—. ¡Estaba decidido a que fueras tú la que lo dijeras! Te lo mereces por lo inexorable que te has mostrado siempre que he querido ser sentimental.

Tuppence alzó la cabeza. El taxi continuaba dando la vuelta por el lado norte de Regent's Park.

—Aún no me has pedido relaciones —dijo Tuppence—. Por lo menos no como lo que nuestras abuelas llamarían una petición formal. Pero después de escuchar la que me hizo Julius, te eximo del trámite.

—No podrás escaparte. Tendrás que casarte conmigo, de modo que no lo pienses siquiera.

—Será muy divertido —respondió Tuppence—. Al matrimonio lo han llamado toda clase de cosas... un cielo, un refugio, un paraíso, una esclavitud, y muchísimas más. ¿Pero sabes lo que creo que es?

—¿Qué?

—¡Un deporte!

—¡Y muy bueno por cierto! —replicó Tommy.

12/06 Ⓐ 4/02 61 →CA
9/12 ⑥
11/16 ⑦ 5/14